JN069286

GINGER SWEETS
ジンジャースイーツ

若山曜子

生姜、ジンジャーシロップ、
キャンディードジンジャーで作る
やさしいお菓子

はじめに

どのスーパーにも必ずあって、家の冷蔵庫の奥にもたいてい潜んでいる。
とても身近な存在だけど、最後まで使いきれないことも多い、生姜。

幼い頃は、生姜を使ったお菓子は、どこかひなびた懐かしい味という印象でした。
でも、時がたち、海外で生姜を使ったお菓子を食べる機会が増えるにつれ、
しだいにその魅力に惹かれるようになりました。

心地よい刺激、清涼感のある余韻を残す生姜は、
バターたっぷりのお菓子にもキリッと存在感を表します。
茶色い砂糖やはちみつといった、素朴でコクのあるナチュラルな甘みや、
エキゾチックなスパイスやビターなチョコレートといった大人っぽい食材にも、
どこかオリエンタルな表情を加え、ぴたりとハマります。

歳を重ねていくうちに生姜のお菓子にどんどん惹かれていくのは、
体をあたためる効能のおかげで、体が喜んでいるせいかなとも思います。
多くの女性に、生姜が好まれているのもそのせいでしょうか。

留学時代に、日本に比べて安価でもなく、少しかたくて使いづらかった生姜を、
シロップで煮ておくことを覚えました。
使いきれないと思ったら、少し甘く煮ておけば、
いつでもおいしい生姜のスイーツが作れます。
(じつは、牛肉のしぐれ煮や生姜焼きにも使っていました……)
暑い日には、冷たいソーダ水で割って、ジンジャーエールに。
寒い日には、生地に混ぜ込んで、あたたかな焼き菓子に。

子供の頃、祖母がコップに注いでくれたとろりとした冷やし飴や甘酒から、
スパイシーなジンジャーブレッドやクッキー、
フルーツとハーブに彩られたレストランデセールに至るまで。
私たちの心も体もそっとあたためてくれる、生姜のお菓子のレシピを集めてみました。

若山曜子

CONTENTS

PART.2 GINGER-FLAVORED BAKED SWEETS
生姜の焼き菓子

PART.3 GINGER-FLAVORED COOL SWEETS & DESSERT
生姜の冷たいお菓子とデセール

COLUMN

● 大さじ1は15mℓ、小さじ1は5mℓです。
● バターは食塩不使用、生クリームは動物性で35%以上のものを使用します。
● 電子レンジの加熱時間は600Wで使用する場合です。500Wの場合は加熱時間を1.2倍にします。
● オーブンの焼成温度、焼き時間は、ガスオーブン使用の場合です。ご自宅のオーブンに合わせて焼き加減は調節してください。焼き上がりを竹串で確認して生焼けの生地がついてくる場合、様子を見ながら5分ずつ焼き時間を追加します。

ABOUT GINGER

生姜（しょうが）のお話

日本だけでなく、世界中で愛されている食材、生姜＝ジンジャー。
とても身近な存在だけれど、まだまだ知らないこともありそうです。
知ればもっと好きになる生姜のお話と選び方をご紹介します。

● 生姜について

古くから香辛料や防腐剤、漢方薬として使われてきた生姜。東南アジアからヨーロッパに伝わり、中国経由で日本にも届いた、最も古いスパイスといえます。一年中出回っているのは、写真左の「ひね生姜」です。写真右の育ったばかりの「新生姜」をさらに成長させ、貯蔵して寝かせると「ひね生姜」になります。みずみずしくてやわらかく、辛みが穏やかな新生姜と、辛みや香りが凝縮して力強い風味があるひね生姜は、それぞれに魅力があります。

● 生姜の選び方

手に入れやすいひね生姜。売り場にはさまざまな形のものが並び、どれを選べばいいか迷ってしまいます。選ぶなら、表面がみずみずしく、乾いていないものを。生姜は口がたつとどんどん乾燥して、しなびてきます。また、丸みがあって大きめの塊になっているものが乾燥しにくく、水分もたっぷりと含んでいる証拠です。新生姜は、さらに鮮度が命。茎の切り口を見てフレッシュなもの、紅色がはっきりしているものを選んでください。

生姜を長く楽しむ

香辛料として使われていることもあり、長持ちしそうな生姜ですが、
意外とアシが早いのでダメにしてしまった、という方も多いのでは？
生姜のおいしさを閉じ込める、3つの方法をお教えします。

● 水につける

生姜を長持ちさせるには、乾燥を避けるのがポイント。写真右のように、ぬらしたペーパータオルに包んで保存袋に入れるか、瓶に水を張り、生姜を入れておきます。香りは少しずつ薄れますが、数日ごとに水を替えて冷蔵庫で保存すれば、１カ月くらいは使えます。

● すりおろして冷凍

たくさん生姜があるなら、一気にすりおろして板状にし、ラップに包んで冷凍してしまいましょう。使うときは冷凍のまま、使う分だけポキッと折って使えばいいのです。じつはチューブの生姜の風味が苦手なので、すりおろしがいつでも使えるように常備しています。

● 甘く煮る

たっぷりの生姜が手に入ったら、この本でもたくさんのお菓子に使っている「ジンジャーシロップ」を作るのがおすすめです。副産物として「ジンジャーシロップの生姜」もでき、お菓子作りにはとっても重宝。

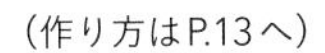
（作り方はP.13へ）

作っておくと便利！　長期保存もできる

ジンジャーシロップとキャンディードジンジャー

GINGER SYRUP&

CANDIED GINGER

ジンジャーシロップと
キャンディードジンジャーの作り方

生姜風味のお菓子を作るときには、生姜を甘く煮た「ジンジャーシロップ」を使うのがおすすめ。
シロップの薄切り生姜は、「ジンジャーシロップの生姜」として活用できます。
また、それを煮詰めて水分を飛ばせば、そのまま食べてもおいしい
「キャンディードジンジャー」の出来上がり。
ここでは、アレンジを含めて４種類のジンジャーシロップをご紹介します。
ピンクジンジャーシロップ以外は、ほかのシロップに変えてお菓子作りができます。

ジンジャーシロップ

キャンディードジンジャー

GINGER SYRUP
ジンジャーシロップ

副産物の「ジンジャーシロップの生姜」も同時に完成。きび砂糖でくせのない味に。好みではちみつをプラスしても。

材料（出来上がり量250～300mℓ）
生姜　200g
きび砂糖　200g
水　200mℓ

作り方
1 生姜はよく洗い、厚さ2mmの薄切りにする（**a**）。
⇒皮は風味があるので残してもOK。かたければむく。
2 鍋に材料をすべて入れ、20分以上おく。
⇒ひと晩おいてもよい。おくほどに生姜はかたくなるが、シロップの風味は増す。
3 **2**を中火にかける。沸騰したら弱火にし（**b**）、落としぶたをして（**c**）20分ほど煮る（**d**）。
⇒出来上がり量は鍋の材質や大きさにより変動あり。
⇒煮沸した保存瓶に生姜ごと入れ、冷蔵で1カ月保存可能。

CANDIED GINGER
キャンディードジンジャー

「ジンジャーシロップの生姜」をさらに煮詰めて作るキャンディードジンジャー。和菓子の「生姜糖」と同じものです。

材料（作りやすい分量）
上記「ジンジャーシロップの生姜」　80g
グラニュー糖　40g

作り方
1 フライパンに材料をすべて入れ、絶えず混ぜながら弱火で加熱する（**a**）。
2 砂糖がいったん溶け（**b**）、再度結晶化して全体が白く乾いた感じになったら（**c**）バットに広げて冷ます（**d**）。
⇒煮沸した保存瓶に入れて2～3カ月保存可能。冬は室温で、気温・湿度の高い時期は冷蔵庫で保存。

ジンジャーシロップのアレンジ3種

A
黒糖ジンジャーシロップ

黒砂糖の風味は生姜と相性抜群。
黒糖好きならほかのお菓子にも応用してみて。

材料（出来上がり量250～300mℓ）
生姜　200g
黒砂糖　200g
水　200mℓ

作り方
ジンジャーシロップ（P.13）の材料のきび砂糖を、黒砂糖に代えて同様に作る。
⇒出来上がり量は鍋の材質や大きさにより変動あり。
⇒煮沸した保存瓶に生姜ごと入れ、冷蔵で約1カ月保存可能。

B
スパイシージンジャーシロップ

スパイスを一緒に煮るジンジャーシロップは
炭酸水で割るだけで本格的なジンジャーエールに。

材料（出来上がり量250～300mℓ）
生姜　200g
きび砂糖　200g
水　200mℓ
八角（ホール）　1片
シナモンスティック　1本
赤唐辛子（種を除く）　½本
クローブ（ホール）　1～2粒
ローリエ　1枚

作り方
ジンジャーシロップ（P.13）と同様に作る。ただし作り方**2**で、時間をおかずすぐに火にかける。
⇒スパイス類はほかにカルダモン、ナツメグ（各ホール）、黒粒こしょうなどお好みで。
⇒出来上がり量は鍋の材質や大きさにより変動あり。
⇒煮沸した保存瓶に生姜ごと入れ、冷蔵で約1カ月保存可能。

C
ピンクジンジャーシロップ

すっきりとした辛みときれいな色が魅力。
副産物の「新生姜のピュレは」ジャムに混ぜたり、チャツネとして使っても。

材料（出来上がり量360mℓ＋新生姜ピュレ80g）
新生姜（皮つきのままざく切り）　250g分
グラニュー糖　250g
水　200mℓ
レモン汁　1個分

作り方
1 新生姜、グラニュー糖、分量の水をミキサーにかけてピュレ状にし、鍋に移す（**a**）。弱火にかけ、ときどき混ぜながら30分ほど煮る。
2 レモン汁を加えて混ぜ（色がピンクに変わる）、ざるでこし（**b**）、ゴムべらを押しつけて水けを絞る（**c**）。残りが「新生姜のピュレ」（**d**）になる。

⇒出来上がり量は鍋の材質や大きさにより変動あり。
⇒シロップは煮沸した保存瓶に入れ、冷蔵で約1カ月保存可能。水けを絞った残りの「新生姜のピュレ」はさまざまなレシピに応用できる。清潔な保存容器に入れて冷蔵で約10日保存可能。

C
A
B

キャンディードジンジャーを使って

A
ジンジャー入り
キャラメルポップコーン

甘いキャラメルポップコーンを頬張ると、
キャンディードジンジャーの辛みが
ピリッとしたアクセントになります。

材料（作りやすい分量）
グラニュー糖　大さじ2
水　大さじ½
はちみつ　大さじ½
バター　大さじ1
ベーキングソーダ（重曹）　2つまみ
ポップコーン（市販）　400mℓ
＊キャンディードジンジャー（P.13・刻む）
　大さじ1～2

作り方
1 グラニュー糖、分量の水、はちみつをフライパンに入れ、強火にかける。表面が薄いキャラメル色になってきたら火を弱めてバターを加え、全体になじませる。
2 ベーキングソーダを加える。大きな泡がわーっと出たら火を止め、ポップコーンとキャンディードジンジャーを加えてからめる。
3 オーブンシートにスプーンなどで落とし、乾かす。

B
生姜とドライフルーツの
マンディアン

キャンディードジンジャーをアレンジするなら
ドライフルーツと同じように考えて。
ビターなチョコレートに浮かべて作りました。

材料（作りやすい分量）
製菓用クーベルチュールチョコレート　30g
コーティング用チョコレート　30g
⇒製菓材料として販売されているもの。加えることでテンパリングが不要になる。
＊キャンディードジンジャー（P.13・刻む）　適量
好みのドライフルーツやナッツ
　（好みの大きさに切る）　適量
⇒写真はクランベリー、オレンジピール、いちじく、ヘーゼルナッツ。

作り方
1 チョコレート類は細かく刻み、合わせて湯煎で溶かす。
2 オーブンシートを広げ、1をスプーンで直径4～5cmの円状に広げる。
3 あたたかいうちに、キャンディードジンジャー、ドライフルーツ、ナッツをのせて室温で固める。
⇒夏場は冷蔵庫で冷やし固める。

A
B

材料のお話

生姜は、体にやさしいけれどインパクトのある風味。スイーツに使う場合は、焼き菓子や冷菓など
特徴に合わせた甘みを選んで使うと、ますますおいしく個性的になります。

甘み

グラニュー糖 (a)
雑味がないので、素材の味をくっきりと出したいときに。新生姜のシロップや果物のコンポートに使うと、色もはっきり出ます。

きび砂糖 (b)
さとうきびの風味とミネラルが残った砂糖なので、コクがあり、素朴な甘みが生姜によく合います。今回、登場回数の多い砂糖です。

はちみつ (c)
自然な甘さが生姜とよく合います。特に、生姜とスパイスを組み合わせる伝統菓子では、はちみつを使うことが多いです。

洗双糖 (d)
さとうきびの精製を最小限に抑えたミネラルが豊富な砂糖。本書には登場しませんが、ジンジャーシロップに特におすすめ。

黒砂糖 (e)
さとうきびの搾り汁を煮詰めた、未精製の砂糖。粉末状とブロックタイプがあり、本書では特にことわりがなければ粉末を使います。

ブラウンシュガー (f)
さとうきびの風味を残して精製した砂糖。海外ではきび砂糖や黒砂糖など茶色い砂糖の総称。色の濃いものがコクがあります。

粉・ふくらし粉

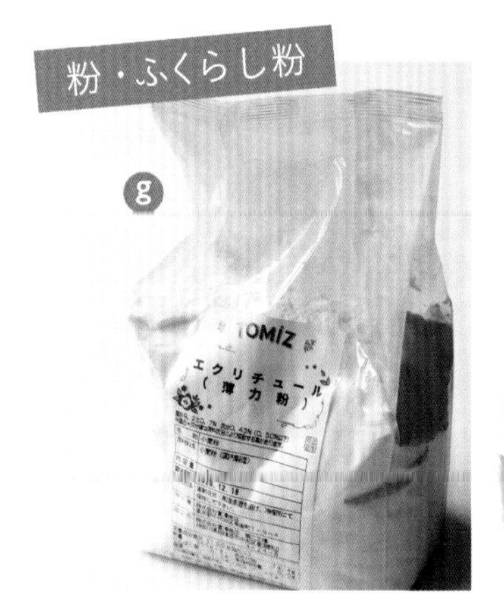

エクリチュール (g)
中力粉に近い薄力粉で、クッキーなど、食感をサクサクさせたいときに使います。薄力粉に強力粉や中力粉を混ぜて使ってもOKです。

ベーキングパウダー (h)
お菓子作りではおなじみの膨張剤。ベーキングソーダの代用として、分量の2割増しで使えますが、ふくらみ方は異なります。

ベーキングソーダ(重曹) (i)
しっかりふくらみ香ばしさが出て、やや茶色く仕上がるので素朴な焼き菓子に使います。入れすぎると苦みが出るので注意。

PART. 1

GINGERBREAD & GINGER COOKIES

ジンジャーブレッドと
ジンジャークッキー

生姜を使ったブレッドやクッキーは、世界中で愛される味。
特にヨーロッパでは、お茶の時間のジンジャーブレッドや、
クリスマスツリーに飾られたクッキーも生姜の風味です。
外国の家庭で作られるお菓子を、ぜひおうちで。

イギリスのお茶の時間に欠かせない、伝統的な焼き菓子。
本場では、糖蜜（モラセスとも呼ばれます）という、
砂糖を精製するときにできる副産物を使いますが、
ここでは同じようにコクのある黒砂糖を使って。
複雑な甘さがジンジャーとよく合います。

GINGERBREAD 1

英国風ジンジャーブレッド

材料（18cmのパウンド型1台分）

バター　100g
黒砂糖　60g
はちみつ　40g
＊ジンジャーシロップ（P.13）　50mℓ
溶き卵　1個分
薄力粉　140g
ベーキングソーダ（重曹）　小さじ⅔
A
＊ジンジャーシロップの生姜（P.13）　30g
生姜のざく切り　小さじ1½（約5g）
牛乳　90mℓ

下準備

- **A**は合わせてミキサーにかける。
  ⇒ミキサーがなければジンジャーシロップの生姜は刻み、生姜はすりおろして牛乳と合わせる。
- パウンド型にオーブンシートを敷く。
- オーブンを180℃に予熱する。

作り方

1 バター、黒砂糖、はちみつ、ジンジャーシロップを耐熱容器に入れ、ふんわりラップをして、電子レンジで約1分30秒加熱する。
2 ボウルに入れ、均一になるまで泡立て器でよく混ぜる。溶き卵を加え、しっかり混ぜる（**a**）。
3 薄力粉とベーキングソーダを合わせ、2回に分けてふるい入れる。1回目は泡立て器でしっかりと混ぜ、2回目はゴムべらに替えてさっくり混ぜる。
4 ミキサーにかけた**A**を加え、さっくりと混ぜ、型に流し入れる（**b**）。
5 予熱したオーブンで40分ほど焼く。中心に竹串をさして、生地がつかなければ焼き上がり。型ごと網にのせて冷まし、粗熱をとる。

VARIATION ： 黒糖ジンジャーブレッド
材料の黒砂糖をブラウンシュガー（またはきび砂糖）80g、ジンジャーシロップを黒糖ジンジャーシロップ（P.14のA）50mℓ、ジンジャーシロップの生姜を黒糖ジンジャーシロップの生姜（P.14のA）20gに代えて同様に作る。

MEMO

「ジンジャーシロップ」
「ジンジャーシロップの生姜」がないときは？

生姜の薄切りときび砂糖各70gを小鍋に入れ、ざっと混ぜて10分おく。水120mℓを加え、落としぶたをして弱めの中火で約15分煮る。ここからそれぞれ指定の分量を使用する。

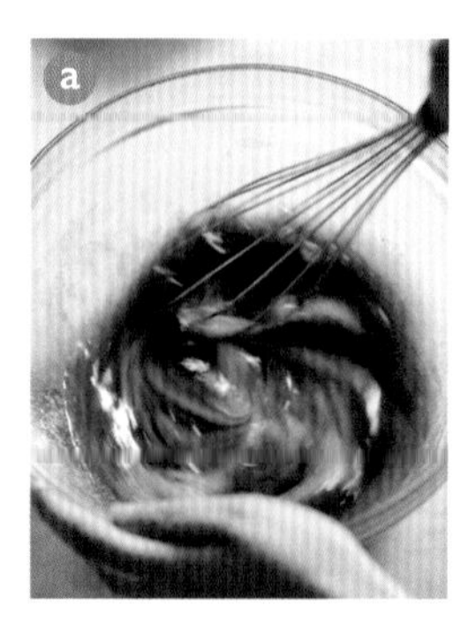
a

b

ライムアイシングで仕上げるジンジャーブレッドは、
バターを使わず軽やかです。
ヨーグルトなら爽やかに、生クリームならちょっと濃厚。
どちらにしても、すっきりとしたあと味で、
ふんわりした生地の中に生姜の香りを
思いきり感じることができます。

GINGERBREAD 2

ライムアイシングの軽いジンジャーブレッド

材料（18cmのパウンド型１台分）

A
- 薄力粉　150g
- ベーキングパウダー　小さじ⅔
- ベーキングソーダ（重曹）　小さじ⅓

きび砂糖　70g
卵　１個
ヨーグルト（プレーン）　160g
⇒生クリーム100mℓに代えるとより濃厚に。
無臭の油（太白ごま油など）　65g
はちみつ　大さじ２
＊ジンジャーシロップの生姜（P.13・粗く刻む）　40～50g

［ライムアイシング］
粉砂糖　60g
ライムの搾り汁　小さじ２

＊キャンディードジンジャー（P.13）、ライムの皮（ともにせん切り）　各適量

MEMO

「ジンジャーシロップの生姜」がないときは？

生姜の薄切りときび砂糖各70gを小鍋に入れ、ざっと混ぜて10分おく。水120mℓを加え、落としぶたをして弱めの中火で約15分煮る。ここから指定の分量を使用する。

下準備
- ヨーグルトはペーパータオルを敷いてボウルに重ねたざるに入れ、80gになるまで30分以上水きりする。
- パウンド型にオーブンシートを敷く。
- オーブンを180℃に予熱する。

作り方
1. ボウルに**A**を入れ、泡立て器でぐるぐると混ぜる。
2. 別のボウルにきび砂糖、卵、水きりヨーグルト、油、はちみつを入れて泡立て器でよく混ぜ、**1**に少しずつ加えてそのつどさっくりと、粉けがなくなるまで混ぜる。ジンジャーシロップの生姜を加え、さっくり混ぜて型に流し入れる。
3. 予熱したオーブンで40分ほど焼く。中心に竹串をさして、生地がつかなければ焼き上がり。型ごと網にのせて冷まし、粗熱をとる。
4. ライムアイシングを作る。小さめの容器に粉砂糖を入れ、中央にライムの搾り汁を入れ、スプーンで少しずつ混ぜて溶かす（P.38「ケーキ用」参照）。
5. **3**が冷めたら型からはずして器に盛り、スプーンで上面の中央に**4**をのせ、少しずつのばす。半乾きのうちに、キャンディードジンジャーとライムの皮を散らす。

メープルシロップをたっぷり使ったしっとりタイプの生地には
フルーツのみずみずしさがよく合います。
りんごや洋梨、あんずなどでもおいしくでき、
果物を入れずに焼いて、シンプルに生姜のアイシング(P.38)で
トップにジンジャー味を重ねるのもおすすめです。

GINGERBREAD 3

メープルシロップ風味の
いちじく入りジンジャースクエア

材料（15cm角のスクエア型、または直径18cmの丸型1台分）

バター（ひと口大に切る） 100g
メープルシロップ 40g
生姜の搾り汁 小さじ1
卵 1個
ブラウンシュガー 50g
サワークリーム 90g
薄力粉 150g
ベーキングソーダ(重曹) 小さじ½
＊ジンジャーシロップの生姜(あれば・P.13・刻む) 大さじ1
いちじく(薄い輪切り) 大1個分
スライスアーモンド 大さじ1

下準備

- 型にオーブンシートを敷く。
- オーブンを180℃に予熱する。

作り方

1 耐熱容器にバター、メープルシロップ、生姜の搾り汁を入れ、ふんわりラップをかけ、電子レンジで約1分加熱する。バターが溶けたら、取り出してしっかりと混ぜて溶かす。
2 ボウルに卵を割り入れ、ブラウンシュガーを加えて泡立て器でよく混ぜる。1とサワークリームを加えて、さらによく混ぜる。
3 薄力粉とベーキングソーダを合わせ、2回に分けてふるい入れる。1回目は泡立て器でしっかりと混ぜ、2回目はゴムべらに替えて、あればジンジャーシロップの生姜を加えてさっくりと混ぜ込む。
4 型に流し入れていちじくとアーモンドを散らし、予熱したオーブンで40分ほど焼く。中心に竹串をさして、生地がつかなければ焼き上がり。型ごと網にのせて冷まし、粗熱をとる。

GINGERBREAD 4

ジンジャーブレッド ギネスカップケーキ

独特のほろ苦さのある黒ビールを生地に使って。
無糖の生クリームがよく合います。
スパイスを加えるとアクセントに。

材料（直径5cmのカップケーキ型6個分）

黒ビール（ギネスビールなど） 100mℓ
はちみつ 30g
＊ジンジャーシロップ（P.13） 40mℓ

A
- 薄力粉 110g
- ベーキングパウダー 小さじ½
- ベーキングソーダ（重曹） 小さじ⅓
- シナモン、ナツメグ、カルダモン、クローブ、オールスパイス（すべてパウダー）など数種を好みで合わせて小さじ1½

B
- きび砂糖（またはブラウンシュガー） 60g
- 卵 1個
- 無臭の油（太白ごま油など） 大さじ4½
- ＊ジンジャーシロップの生姜（P.13・刻む） 30g

生クリーム 100mℓ
＊キャンディードジンジャー（あれば・P.13） 6枚

下準備

- 型にグラシンケースを敷く。
- オーブンを190℃に予熱する。

作り方

1 鍋に黒ビール、はちみつ、ジンジャーシロップを入れて中火にかける。大きな泡が出て沸騰したら火を止め、ボウルに移して粗熱をとる。
2 別のボウルに**A**を入れて泡立て器でしっかり混ぜる。
3 **1**に**B**を順番に入れ、そのつど泡立て器でよく混ぜる。
4 **2**に**3**を少しずつ加えてそのつどよく混ぜ、型に均等に流し入れる。
5 予熱したオーブンで20分ほど焼く。中心に竹串をさして、生地がつかなければ焼き上がり。型ごと網にのせて冷まし、粗熱をとる。
6 **5**を型からはずして器に盛り、ツノがふんわり立つくらいに泡立てた生クリームをのせ、あればキャンディードジンジャーを飾る。

MEMO

「ジンジャーシロップ」「ジンジャーシロップの生姜」がないときは？

生姜の薄切りときび砂糖各70gを小鍋に入れ、ざっと混ぜて10分おく。水120mℓを加え、落としぶたをして弱めの中火で約15分煮る。ここからそれぞれ指定の分量を使用する。

GINGERBREAD 5

コーヒー風味の ジンジャーブレッド パンケーキ

すりおろした生姜を加えたパンケーキは
コーヒーとシナモンの香りをまとわせて。
しっとりして冷めてもおいしいのが特徴です。

材料（直径12cm×4枚分）
牛乳（軽くあたためる） 40mℓ
インスタントコーヒー 小さじ½
レモン汁 少々
バター 15g
A
- 薄力粉 90g
- ベーキングパウダー 小さじ¼
- ベーキングソーダ（重曹） 2つまみ
  ⇒ベーキングパウダー小さじ½で代用可。
- シナモン（パウダー） 2ふり
- 塩 ひとつまみ

B
- 卵 1個
- ブラウンシュガー 大さじ3
- 生姜のすりおろし 小さじ1

バター、メープルシロップ 各適量

作り方
1 牛乳にインスタントコーヒーを加えて溶かし、レモン汁を加える。
2 耐熱容器にバターを入れ、ふんわりラップをかけて電子レンジで30秒加熱し、混ぜて溶かす。
3 ボウルに**A**を入れ、泡立て器でぐるぐると混ぜる。
4 別のボウルに**1**、**B**を入れ、泡立て器でしっかり混ぜる。
5 **3**に**4**を少しずつ加え、そのつど泡立て器でよく混ぜる。**2**を加えて全体をしっかり混ぜる。
6 フライパンを中火にかけて熱し、**5**の¼量を流し入れる。生地の表面にふつふつと穴があいたら裏返す。さらに1〜2分焼き、両面がこんがり焼けたら皿に盛る。残りも同様に焼く。
7 すべて焼き上がったらバターをのせ、メープルシロップをかける。

世界各地のクリスマスツリーに飾られる
人の形のクッキー。スパイスと生姜をきかせるのは、
寒い冬の味だからでしょうか。
溶かしバターを使って高温で焼き、カリッとさせます。
ボタン形は丸型で抜いてから、
ひと回り小さい丸型を押しつけて模様をつけます。
ペットボトルのふたを利用しても。

GINGER COOKIES 1

ジンジャーマンクッキー

材料（作りやすい分量）

A

- バター　60g
- きび砂糖　40g
- メープルシロップ　大さじ3
- 牛乳　大さじ1½

B

- 強力粉　150g
- ベーキングソーダ（重曹）　小さじ¼
- シナモン（パウダー）　小さじ1
- クローブ（パウダー）　小さじ½
- 生姜のすりおろし　小さじ1

［アイシング］
粉砂糖　60g
レモン汁　小さじ2

下準備

- 天板にオーブンシートを敷く。
- オーブンを200℃に予熱する。

作り方

1 小鍋に**A**を入れて弱火にかけ、きび砂糖が溶けるまでゴムべらで混ぜながらあたためる。

2 ボウルに**B**を入れ、泡立て器でぐるぐると混ぜる。**1**を少しずつ加えてそのつど混ぜる。

3 オーブンシートを広げて**2**をのせ、上にオーブンシートをのせて挟み、めん棒で軽くのばして包む。冷蔵庫で30分以上休ませる。
⇒ひと晩寝かせてもよい。その場合はさらにラップで包む。

4 取り出した**3**のラップをはずして、オーブンシートの上からめん棒で厚さ3mmほどにのばす。上のオーブンシートをはがし、好みの型で抜き、天板に並べる。
⇒生地をのばすときにベタつくようなら、適宜打ち粉（薄力粉・分量外）をするか、そのつど冷凍庫で5〜10分冷やしてから作業をする。

5 予熱したオーブンで8〜10分焼き、オーブンシートごと網にのせて冷ます。
⇒高温なので、焼いている間は焦げないように注意して。

6 アイシングを作る。小さめの容器に粉砂糖を入れ、中央にレモン汁を入れ、スプーンで少しずつ混ぜて溶かす（P.38「クッキー用」参照）。

7 **5**が冷めたら、オーブンシートでコルネを作り（P.38「コルネの作り方」参照）、**6**を入れて柄を描いたり、スプーンで塗る。

ベルギーをはじめとするヨーロッパで、
12月6日の「聖ニコラの日」に食べられてきた伝統菓子。
さまざまなスパイスを使いますが、私は黒砂糖とシナモンでシンプルに。
表面の精密な柄も特徴の一つ。
ここでは簡単に大小の型を使って模様をつけました。
サクッとした食感と最後に残る香ばしさに、
ついもう1枚食べたくなる大好きなクッキーです。

GINGER COOKIES 2

ベルギーの伝統ビスケット スペキュロス

材料（作りやすい分量）

バター　100g
黒砂糖　80g
溶き卵　½個分
生姜のすりおろし　小さじ1
A
- 薄力粉　150g
  ⇒あれば50gを強力粉に代えるか、エクリチュール（P.18）など中力粉に近い薄力粉を使うのがおすすめ。
- ベーキングソーダ（重曹）　小さじ⅓
- シナモン（パウダー）　小さじ¼

下準備

- バターは室温に戻す。
- 天板にオーブンシートを敷く。
- オーブンを180℃に予熱する。

作り方

1. ボウルにバターと黒砂糖を入れて、泡立て器でよくすり混ぜる。溶き卵と生姜のすりおろしを加え、全体がなじむまでしっかりとすり混ぜる。**A**をふるい入れ、粉けがなくなり、全体がまとまるまで混ぜる。
2. オーブンシートを広げて**1**をのせ、上にオーブンシートをのせて挟み、めん棒で厚さ5mmにのばして包む。冷蔵庫で30分、または冷凍庫で15分休ませる。
3. 取り出した**2**の上のオーブンシートをはがし、好みの型で抜き、天板に並べる。
   ⇒生地をのばすときにベタつくようなら、適宜打ち粉（薄力粉・分量外）をするか、そのつど冷凍庫で5～10分冷やしてから作業をする。
4. 予熱したオーブンで15～20分焼き、オーブンシートごと網にのせて冷ます。

ひび割れ
ジンジャースナップス（作り方 P.34）

生姜風味の
ココナッツオートミールクランチ（作り方 P.35）

表面に砂糖をまぶした、焼きひびが入っているのが特徴のクリスマスのお菓子。バターを使わずオイルを使うと生姜と黒砂糖で輪郭のはっきりした風味を楽しめます。ホワイトチョコレートのディップはお好みで。

GINGER COOKIES 3

ひび割れジンジャースナップス

材料（直径5cm × 20個分）

A

- ＊ジンジャーシロップの生姜（あれば・P.13・刻む）　大さじ1
- 黒砂糖　60g
- 無臭の油（太白ごま油など）　大さじ4
- 溶き卵　½個分
- はちみつ　大さじ2
- 生姜のすりおろし　小さじ1

＊⇒黒糖ジンジャーシロップ（P.14のA）でも。

B

- 薄力粉　150g
  ⇒あれば50gを強力粉に代えるか、エクリチュール（P.18）など中力粉に近い薄力粉を使うのがおすすめ。
- ベーキングソーダ（重曹）　小さじ½
- シナモン（パウダー）　小さじ¼
- 塩　ひとつまみ

グラニュー糖　適量
コーティング用ホワイトチョコレート（あれば）　40g

下準備

- 天板にオーブンシートを敷く。
- オーブンを180℃に予熱する。

作り方

1. ボウルにAを入れ、もったりとするまで泡立て器で混ぜる（**a**）。
2. **B**をふるい入れ、ゴムべらでさっくりと、粉けがなくなるまで混ぜる（**b**）。
3. バットにグラニュー糖を広げる。**2**を大さじ1ずつ取って平たい円形に整え、グラニュー糖の上で転がして表面にまんべんなくまぶす（**c**）。天板に3～4cmの間隔をあけて並べる。
4. 予熱したオーブンで10～15分焼く。表面にひびが入り、しっかり焼き色がつけば完成。オーブンシートごと網にのせて冷ます。
5. あればホワイトチョコレートを湯煎で溶かし、**4**に好みにディップする。

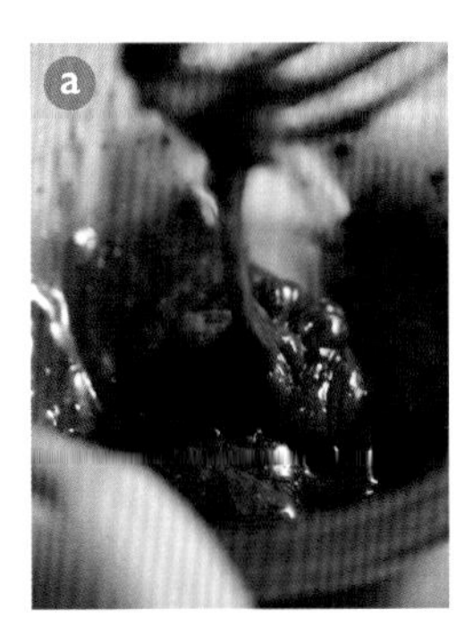
a

b

c

ザクザクした食感が楽しいクッキー。
生地にジンジャーシロップの生姜とココナッツロングが
入っているので、噛みしめるごとにそれぞれの味が
一体となって広がります。シリアルバーのようでもあり、
甘くてミルクによく合うクッキーです。

GINGER COOKIES 4

生姜風味の
ココナッツオートミールクランチ

材料（直径約6cm × 18個分）

バター　60g
ブラウンシュガー　50g
はちみつ　大さじ2
A
　薄力粉　150g
　⇒あれば50gを強力粉に代えるか、エクリチュール（P.18）など中力粉に近い薄力粉を使うのがおすすめ。
　オートミール　40g
　ココナッツロング　30g
　ベーキングパウダー　小さじ⅓
＊ジンジャーシロップの生姜（P.13・粗く刻む）
　30g

下準備

- 天板にオーブンシートを敷く。
- オーブンを180℃に予熱する。

作り方

1 耐熱容器にバター、ブラウンシュガー、はちみつを入れ、ふんわりラップをかけて電子レンジで約1分加熱し、混ぜてブラウンシュガーを溶かす。
2 ボウルに**A**を入れ、泡立て器でぐるぐると混ぜる。**1**とジンジャーシロップの生姜を加え、泡立て器でさっくりと混ぜ合わせる。
3 直径4cmくらいに手で丸め、天板に間隔をあけて並べ、スプーンまたは手でつぶして直径5cmくらいにする。
4 予熱したオーブンで15分ほど焼く。オーブンシートごと網にのせて冷ます。

MEMO

「ジンジャーシロップの生姜」がないときは？

生姜の薄切りときび砂糖各70gを小鍋に入れ、ざっと混ぜて10分おく。水120mℓを加え、落としぶたをして弱めの中火で約15分煮る。ここから指定の分量を使用する。

イギリスのとあるマーケットタウンの名物ジンジャークッキー。
写真で見て形がかわいかったので、私なりに作ってみました。
並べて絞り出して焼き上げたクッキーを、模様に沿って
1本ずつ折って食べるのが楽しい、ホロホロと軽いクッキーです。
紅茶やポートワインにひたして食べると、また新しい魅力が生まれます。

GINGER COOKIES 5

ニットみたいな
絞り出し生姜クッキー

材料（9×7cm×6枚分）

バター　140g
ブラウンシュガー　50g
生姜のすりおろし　大さじ1
卵白　1個分
薄力粉　150g
カルダモン（またはシナモン・いずれもパウダー）
　少々

下準備

- バターは室温に戻す。
- 天板にオーブンシートを敷く。
- オーブンを180℃に予熱する。

作り方

1 ボウルにバター、ブラウンシュガー、生姜のすりおろしを入れ、泡立て器ですり混ぜる。
2 溶いた卵白を少しずつ加えて、そのつどしっかり混ぜる。
3 薄力粉とカルダモンを合わせてふるい入れ、ゴムべらに替えてさっくりと混ぜる。全体がなじんだら、花型の口金をつけた絞り袋に入れる。
4 天板にまっすぐ9cmほど絞り出し、沿わせるように波状に絞り出す。これをもう一度くり返して（**a**）、生地の上下をカードで切り落としてきれいに整える（**b**）。同様に計6枚作る。
5 予熱したオーブンで15〜20分焼き、オーブンシートごと網にのせて冷ます。

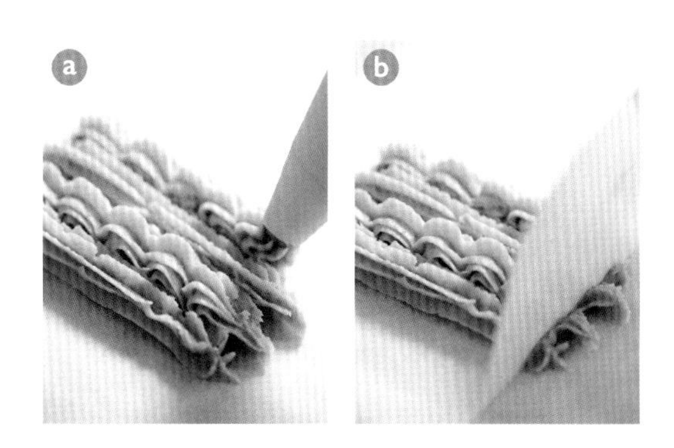

アイシングのお話

茶色っぽい仕上がりのジンジャースイーツは、アイシングの白が映えます。粉砂糖の湿気や１滴の水分でかたさが変わるので、レシピの分量を目安に様子を見ながら作ってください。

ケーキ用

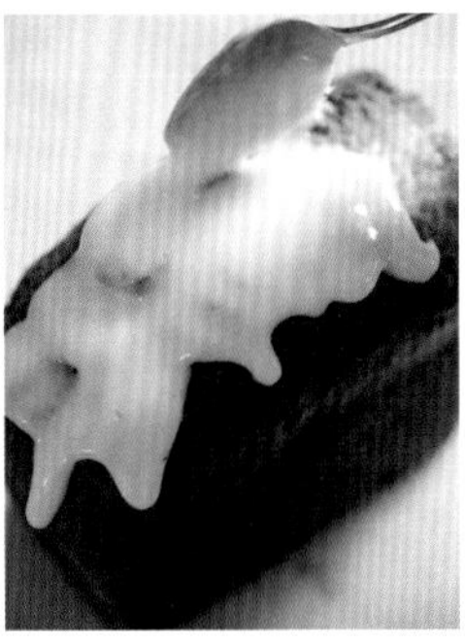

やわらかめアイシング

パウンドケーキなどにたっぷりと塗り広げるアイシングは、やわらかめに作ります。容器に入れた粉砂糖に水分を少しずつ混ぜ、スプーンで持ち上げてすーっと糸を引いてたれるくらいのなめらかさにします。塗るときは無理に広げず、薄いところにのせて自然に広がるのを待つのがコツ。

クッキー用

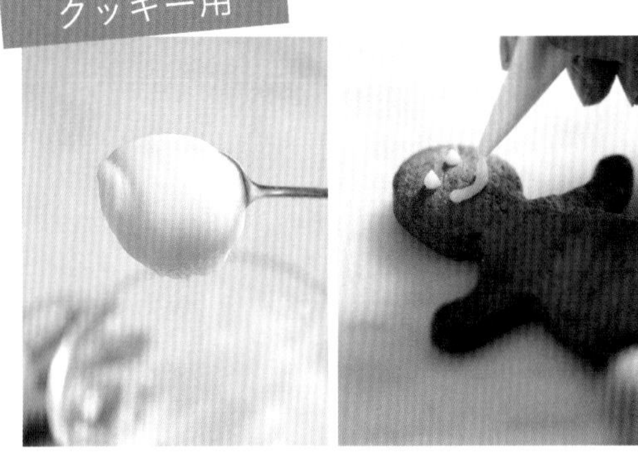

かためアイシング

ジンジャーマンの顔や服のアイシングは、クッキーの仕上げのお楽しみ。スプーンで持ち上げて、塊のままゆっくりと落ちるくらいのかたさにします。細かいデザインはコルネ（下記参照）を使って。もしくは、小さなスプーンなどでクッキーに塗り広げるだけでもかわいくなります。

コルネの作り方

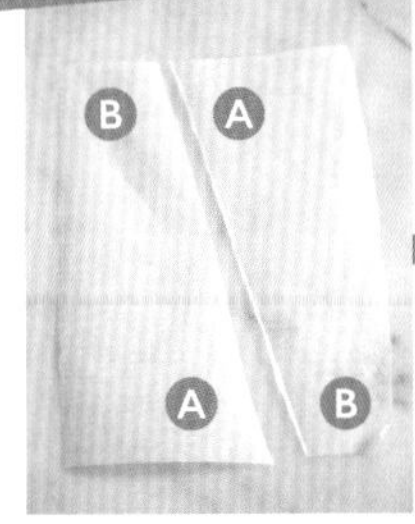

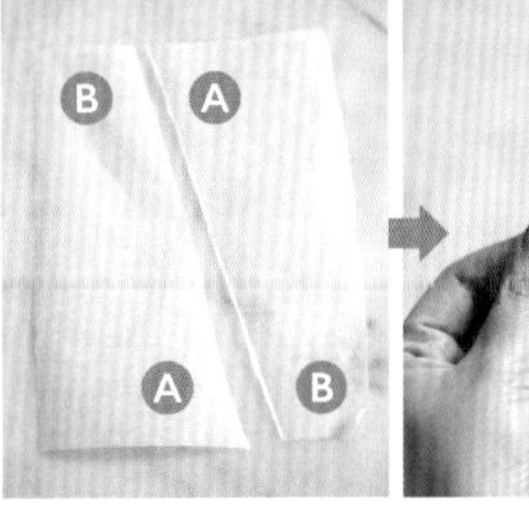

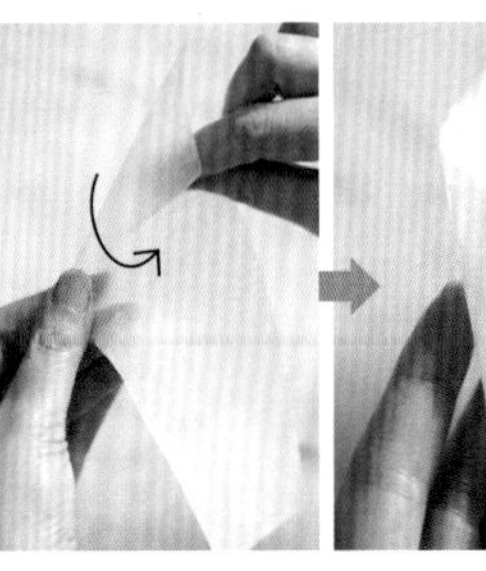

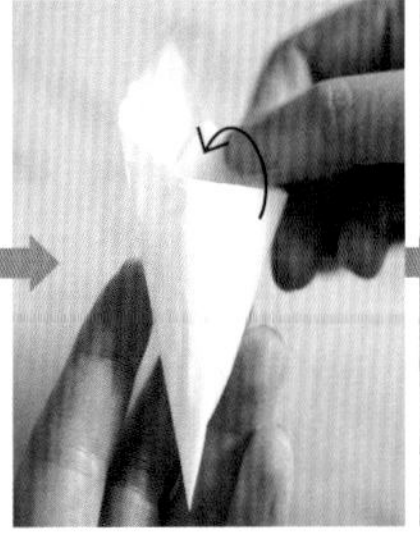

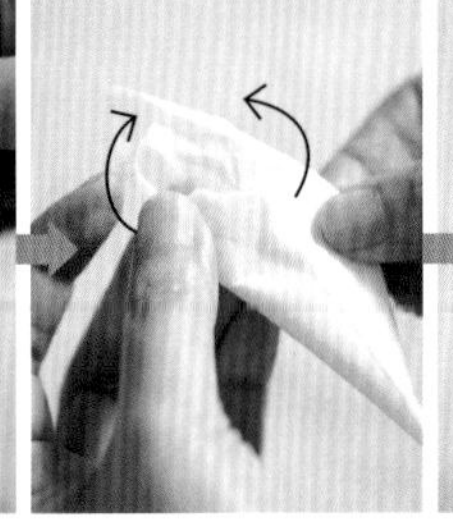

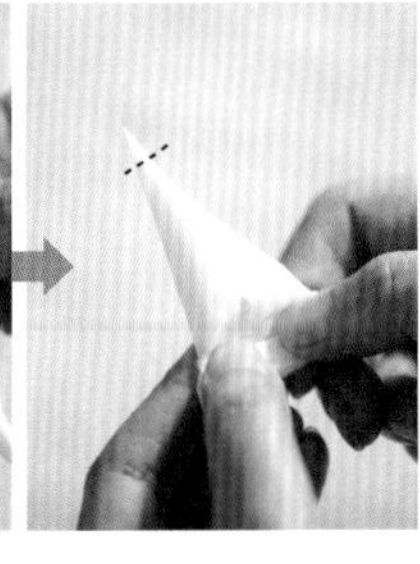

1
オーブンシートを約10×12cmの長方形に切り出し、斜めに切ります。使うのは１枚だけです。

2
Aを支点に左手の親指と人差し指で円すいの先端を引き締めながら、右手で**B**に向かって巻いていきます。

3
円すい形に巻いたら、巻き終わりがずれないよう内側に折り込みます。

4
クッキー用の「かためアイシング」を詰め、アイシングを下に寄せながら、開口部を向こう側に折りたたみます。

5
先端を少しだけ切り、切り口から少しずつ、アイシングを押し出すと、ペンのように細かく描けます。

PART.2

GINGER-FLAVORED BAKED SWEETS

生姜の焼き菓子

生姜はシンプルなお菓子にも、フルーツやチョコレートにも
合わせやすく、使うのがとても楽しい食材です。
「このお菓子だからこそ使いたい」というレシピを厳選。
素朴で、生姜の魅力が伝わってくる焼き菓子をどうぞ。

キャロットケーキにはジンジャーパウダーがつきものですが、
ここでは、ジンジャーシロップの生姜を
たっぷり使うことで、生姜感をアップさせました。
みじん切りにして食感を残すと、
生姜の風味が強く感じられるのです。
チーズフロスティングはお好きなだけのせて仕上げましょう！

COCONUT & GINGER CARROT CAKE

ココナッツジンジャーキャロットケーキ

材料（直径15cmの丸型1台分）

にんじん（皮をむき大きめのひと口大に切る）
150g
卵　2個
ブラウンシュガー　80g
無臭の油（太白ごま油など）　100mℓ
A
- 薄力粉　200g
- ベーキングパウダー　小さじ½
- ベーキングソーダ（重曹）　小さじ¼

ココナッツロング　30g
＊ジンジャーシロップの生姜（P.13・みじん切り）
30～40g
くるみ　20g

［チーズフロスティング］
クリームチーズ　90g
バター　40g
粉砂糖　40g

＊キャンディードジンジャー（あれば・P.13）
適量

下準備

- クリームチーズとバターは室温に戻す。
- 型にオーブンシートを敷く。
- オーブンを180℃に予熱する。

作り方

1 にんじんはざく切りにしてフードプロセッサーに入れ、卵とブラウンシュガーを加え、ペースト状に撹拌する。
2 **1**をボウルに入れ、油を少しずつ加えて、そのつどもったりするまで泡立て器で混ぜる。
3 **A**を合わせて2回に分けてふるい入れる。1回目はしっかり、2回目はゴムべらに替えてさっくり混ぜる。粉けのあるうちに、ココナッツロングとジンジャーシロップの生姜を加えてさらに混ぜる。
4 型に流し入れてくるみを散らし、予熱したオーブンで40～50分焼く。中心に竹串をさして、生地がつかなければ焼き上がり。型ごと網にのせて冷まし、粗熱をとる。
5 チーズフロスティングを作る。クリームチーズ、バター、粉砂糖をなめらかになるまで泡立て器で練り混ぜる。**4**を型からはずして器に盛り、フロスティングをのせてパレットナイフで軽く広げる。あればキャンディードジンジャーを散らす。

MEMO

「ジンジャーシロップの生姜」がないときは？

生姜の薄切りときび砂糖各70gを小鍋に入れ、ざっと混ぜて10分おく。水120mℓを加え、落としぶたをして弱めの中火で約15分煮る。ここから指定の分量を使用する。

きれいなピンクに色づいた新生姜のピュレをケーキに。
クリームチーズ入りの少し酸味のある生地は、
新生姜ピュレとの相性抜群。
生地を型に入れるときに、チーズと新生姜のピュレを
生地の上にポトポトと落として焼き上げます。
2つの味を存分に堪能して。

YOUNG GINGER POUND CAKE WITH CREAM CHEESE

チーズが入った新生姜のパウンドケーキ

材料（18cmのパウンド型1台分）

バター　70g
クリームチーズ　50g
粉砂糖　100g
溶き卵　2個分
薄力粉　150g
ベーキングパウダー　小さじ1
＊新生姜のピュレ（P.14のC）　大さじ3〜4
A
　クリームチーズ　60g
　はちみつ　小さじ1

下準備

- バターとクリームチーズは室温に戻す。
- Aのクリームチーズは室温に戻し、はちみつとよく混ぜる。
- 型にオーブンシートを敷く。
- オーブンを180℃に予熱する。

作り方

1. バターとクリームチーズ、粉砂糖をボウルに入れ、ハンドミキサーで3分ほど、ふわっとするまで泡立てる。溶き卵を少しずつ加え、そのつど混ぜる。
2. 薄力粉とベーキングパウダーを合わせてふるい入れ、ゴムべらでさっくりと混ぜる。
3. **2**の生地の⅓量を型に入れ、混ぜた**A**と新生姜のピュレ半量をスプーンでまんべんなくポトポトと落とす。もう1回繰り返し、最後に残りの**2**で覆う。
4. 予熱したオーブンで40〜50分焼く。中心に竹串をさして、生地がつかなければ焼き上がり。型ごと網にのせて冷まし、粗熱をとる。

口に入れると、ジンジャーシロップの生姜と
黒砂糖がジャリジャリッとして、
それぞれの風味が広がる楽しいパウンドケーキ。
生地に入れる黒砂糖は崩しすぎず、ブロック感を残して加えてください。
私はこのこっくりとしたケーキを、
ミルクティーやほうじ茶と合わせるのが好きです。

RAW SUGAR & WALNUT POUND CAKE

黒糖とくるみの
素朴なパウンドケーキ

材料（18cmのパウンド型1台分）

A
- バター　100g
- 黒砂糖　60g
  ⇒ブロックなら細かく砕く。

溶き卵　2個分
薄力粉　100g
ベーキングパウダー　小さじ⅔
黒砂糖（ブロック・5mm角に砕く）　20g
⇒塊の残し具合はお好みで。
＊ジンジャーシロップの生姜（P.13・刻む）　30g
くるみ（粗く砕く）　大さじ1

下準備
- バターと卵は室温に戻す。
- 型にオーブンシートを敷く。
- オーブンを180℃に予熱する。

作り方
1. ボウルにAを入れ、ハンドミキサーでふわっとするまで混ぜる。
2. 溶き卵を少しずつ加え、そのつど混ぜる。薄力粉とベーキングパウダーを合わせてふるい入れ、ゴムべらでさっくりと、粉けがなくなるまで切るように混ぜる。
3. 黒砂糖、ジンジャーシロップの生姜を加え、ゴムべらでさっくりと混ぜる。型に流し入れ、くるみを散らす。
4. 予熱したオーブンで40〜50分焼く。中心に竹串をさして、生地がつかなければ焼き上がり。型ごと網にのせて冷まし、粗熱をとる。

MEMO

「ジンジャーシロップの生姜」がないときは？

生姜の薄切りときび砂糖各70gを小鍋に入れ、ざっと混ぜて10分おく。水120mℓを加え、落としぶたをして弱めの中火で約15分煮る。ここから指定の分量を使用する。

GINGER-FLAVORED YUZU GÂTEAU WEEK-END

生姜風味の柚子ウィークエンド

材料（18cmのパウンド型1台分）

バター　90g
粉砂糖　90g
サワークリーム　45g
溶き卵　2個分
薄力粉　130g
ベーキングパウダー　小さじ⅔
柚子（ゆず）の搾り汁（またはレモン汁）　大さじ1
生姜のすりおろし　大さじ½
柚子の皮のすりおろし　½個分
あんずジャム（または柚子ジャム）　大さじ3
⇒かたければ、少量の湯でのばす。

［アイシング］
粉砂糖　50g
生姜の搾り汁　小さじ2
レモン汁　小さじ½

下準備

- バターは室温に戻す。
- 型にオーブンシートを敷く。
- オーブンを180℃に予熱する。

作り方

1 ボウルにバター、粉砂糖、サワークリームを入れ、ハンドミキサーでふんわりするまで泡立てる。溶き卵を少しずつ加え、そのつど混ぜる。

2 薄力粉とベーキングパウダーを合わせてふるい入れ、ゴムべらでさっくりと粉けがなくなるまで、切るように大きくすくいながら混ぜる。

3 柚子の搾り汁、生姜のすりおろし、柚子の皮のすりおろしを加え、つやが出るまでしっかり混ぜる。

4 型に流し入れ、予熱したオーブンで40分ほど焼く。中心に竹串をさして、生地がつかなければ焼き上がり。型ごと網にのせて粗熱をとり、よく冷まして型からはずす。

5 上のふくらんだ部分を水平に切り落として（**a**）上下を返し、表面にあんずジャムを塗る（**b**）。
⇒ここでオーブンを220℃に予熱する。

6 アイシングを作る。小さめの容器に粉砂糖を入れ、中央に生姜の搾り汁とレモン汁を入れ、スプーンで少しずつ混ぜて溶かす（P.38「ケーキ用」参照）。**4**にのせ、パレットナイフで軽く広げて（**c**）自然に周囲にたらす（**d**）。

7 220℃に予熱したオーブンで1〜2分焼き、アイシングを乾かす。

a

b

c

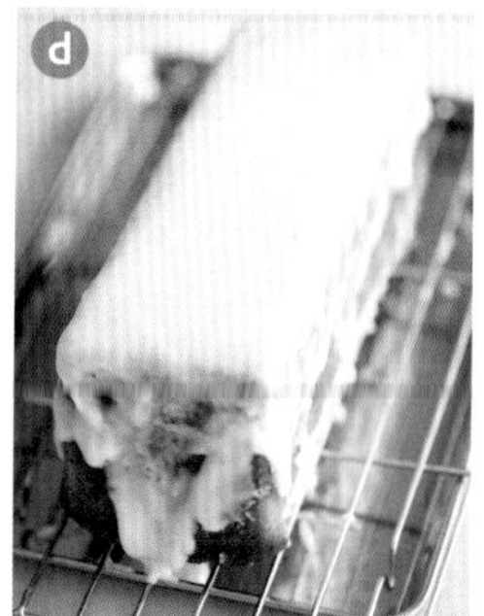
d

フランス菓子のウィークエンドに、爽やかな柚子の風味を合わせました。
生地はサワークリームを加えて軽め、食感はふわふわしたタイプです。
生地にもアイシングにも生の生姜をたっぷり使って、鮮やかに広がる
柚子と生姜のハーモニーを楽しんで。

イギリス人が大好きな、ジャムを挟んだ
ヴィクトリア風スポンジケーキは、どこか懐かしい雰囲気。
スポンジは泡立てた卵と溶かしバターでふんわりと。
あんずジャムにも生姜の香りをつけて。

GINGER VICTORIA CAKE

ヴィクトリア風
ふんわり生姜ケーキ

材料（直径15cmの丸型1台分）

卵　2個
きび砂糖　50g
薄力粉　80g
コーンスターチ　20g
バター　80g
＊ジンジャーシロップ（P.13）　大さじ3
あんずジャム　70g
⇒一部または全量を新生姜のピュレ（P.14のC）に代えても。
粉砂糖（好みで）　適量

下準備

- 小鍋にジンジャーシロップ大さじ1とあんずジャムを入れ、混ぜながら弱火で軽く煮詰める。
- 型にオーブンシートを敷く。
- オーブンを180℃に予熱する。

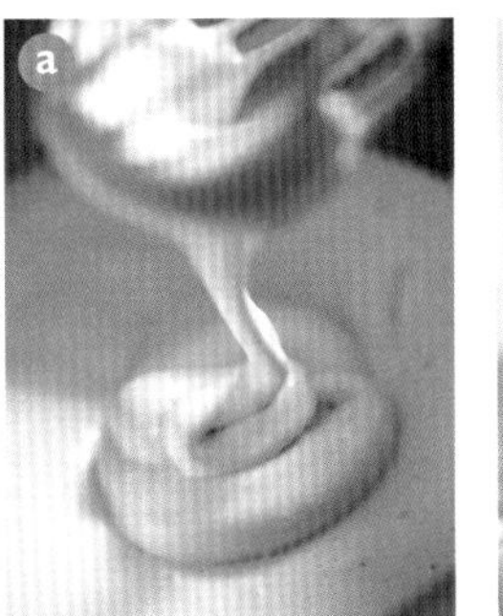

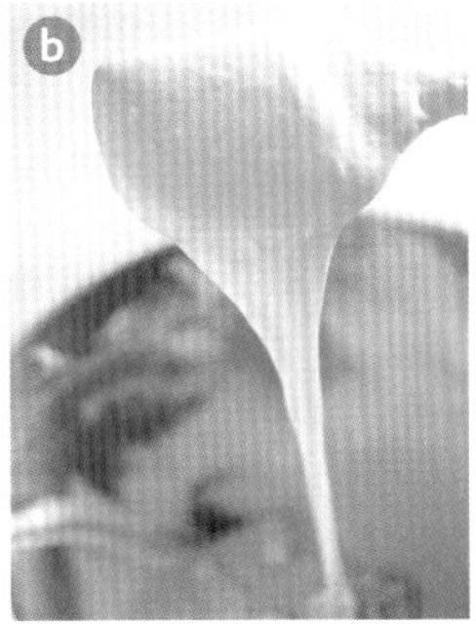

作り方

1 ボウルに卵ときび砂糖を入れ、湯煎にかけながらハンドミキサーの高速で泡立てる。指で触って少し熱く感じるくらいになったら湯煎からはずし、もったりするまで泡立てる。
⇒湯煎からはずしてから6～7分を目安に。

2 ハンドミキサーの羽根にたまった1がゆったり落ちるくらい（**a**）になったら、低速にして1分ほど攪拌し、キメを整える。ハンドミキサーの羽根をはずして手で持ち、ゆっくりと混ぜてさらに生地の状態を均一に整える。
⇒ここでバターを湯煎で溶かし、お風呂くらいのあたたかさをキープしておく。

3 薄力粉とコーンスターチを合わせてふるい入れ、ゴムべらで切るように混ぜる。

4 溶かしバターとジンジャーシロップ大さじ2を加え、つやが出て、生地がリボン状に落ちるくらい（**b**）まで混ぜ、型に流し入れる。

5 予熱したオーブンで30分ほど焼く。竹串をさして、生地がつかなければ焼き上がり。型ごと網にのせて、粗熱をとり、冷めたらはずす。

6 厚さを半分に切り、断面にジンジャーシロップと合わせたあんずジャムを塗って挟み、好みで上部に粉砂糖をふる。

MEMO

「ジンジャーシロップ」がないときは？

生姜の薄切りときび砂糖各70gを小鍋に入れ、ざっと混ぜて10分おく。水120mℓを加え、落としぶたをして弱めの中火で約15分煮る。ここから指定の分量を使用する。

KINAKO GINGER SCONE

きなこと生姜の香ばしいスコーン

材料（6個分）

A

- 薄力粉　140g
  ⇒あればエクリチュール（P.18）など中力粉に近い薄力粉を使うのがおすすめ。
- ブラウンシュガー　15g
- きなこ　20g
- ベーキングパウダー　小さじ1

生クリーム　200mℓ

＊ジンジャーシロップの生姜（P.13・刻む）　30g

紅玉と生姜のジャム（下記参照）　適量

下準備

・オーブンを190℃に予熱する。

作り方

1 ボウルにAを入れ、泡立て器でぐるぐると混ぜる（a）。

2 生クリーム150mℓを加え、ゴムべらで切るように混ぜる。全体がなじんだら、ジンジャーシロップの生姜を加えて混ぜる（b）。

3 オーブンシートを広げて2をのせ、手で18×12cmにのばしてシートごと長辺側を半分に折る（c）。これをもう1回くり返し、厚さ1.5cmにのばして、包丁で6等分する（d）。

4 オーブンシートごと天板にのせて間をあけ、予熱したオーブンで20分ほど焼く。オーブンシートごと網にのせて冷ます。

5 食べる直前に、残りの生クリームをツノがふんわり立つくらいに泡立てて、紅玉と生姜のジャムとともに添える。

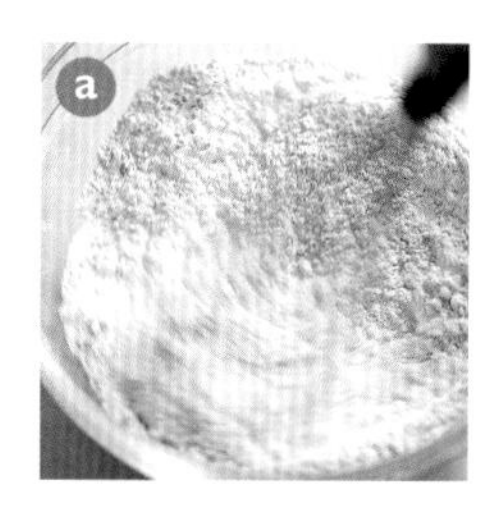

MEMO

「ジンジャーシロップの生姜」がないときは？

生姜の薄切りときび砂糖各70gを小鍋に入れ、ざっと混ぜて10分おく。水120mℓを加え、落としぶたをして弱めの中火で約15分煮る。ここから指定の分量を使用する。

APPLE GINGER JAM

紅玉と生姜のジャム

材料（作りやすい分量）

りんご（紅玉・皮と芯を除く）　1個

グラニュー糖　約60g（りんごの正味の40%）
⇒りんごの皮と芯を除いて計量する。

水　50mℓ

＊ジンジャーシロップの生姜（P.13・刻む）　小さじ2
⇒または生姜のすりおろし小さじ1

レモン汁　小さじ1

作り方

1 りんごは薄いいちょう切りにして鍋に入れ、グラニュー糖をまぶす。
⇒変色を防ぐためホーロー製の鍋がおすすめ。

2 分量の水を加えて混ぜ、落としぶたをして弱火で10分ほど煮る。透明感が出てきたら落としぶたを取って水分を飛ばし、ジンジャーシロップの生姜とレモン汁を加えて混ぜ、火を止める。

生クリームを使ったリッチなスコーンはしっとり、ふんわり。
ジンジャーシロップの生姜を生地に焼き込んでいるので、
噛むと甘い生姜の味がじんわりと広がります。
せっかくなので、スコーンに添える
ジャムにも生姜を使いました。

生地がカリッとするまで焼き込むビスコッティは、じつはノンオイルでヘルシー。
ココアとアーモンド、そして生姜をぎっしりと組み合わせて。
ミルクティーやコーヒーに、少しだけひたして食べるのもおすすめです。

COCOA & GINGER OIL-FREE BISCOTTI

オイルを使わない ココアと生姜のビスコッティ

材料（15枚分）

A

- 卵　1個
- 黒砂糖　大さじ3
  ⇒ブロックなら砕く。

B

- 薄力粉　150g
- ココアパウダー　10g
- シナモン（パウダー）　少々
- ベーキングパウダー　小さじ ¼

＊ジンジャーシロップの生姜（P.13・粗く刻む）　40～50g
黒砂糖（ブロック・1～2cmに砕く）　30g
粒アーモンド（無塩）　20g

下準備

- 天板にオーブンシートを敷く。
- オーブンを180℃に予熱する。

作り方

1. ボウルにAを入れ、泡立て器でよく混ぜる。
2. Bを合わせてふるい入れ、ゴムべらで切るように混ぜる。ざっくり混ざったら、ジンジャーシロップの生姜を加えてさらに混ぜる（a）。
3. 黒砂糖とアーモンドを加え、手でひとまとめにして、約7×22×厚さ2cmのなまこ形に整える（b）。天板にのせ、厚さが均等になるよう手で軽く押す。
4. 予熱したオーブンで20分ほど焼く。いったん取り出し、あたたかいうちに1.5cm幅に切って（c）、断面を上にして並べ直し、オーブンの温度を160℃に下げて20分ほど焼く。オーブンシートごと網にのせて冷ます。

MEMO

「ジンジャーシロップの生姜」がないときは？

生姜の薄切りときび砂糖各70gを小鍋に入れ、ざっと混ぜて10分おく。水120mℓを加え、落としぶたをして弱めの中火で約15分煮る。ここから指定の分量を使用する。

a

b

c

KUMQUAT & GINGER GÂTEAU CHOCOLAT

甘酸っぱくてほろ苦い ジンジャーガトーショコラ

材料（直径15cmの丸型1台分）
チョコレート　100g
バター　65g
卵　3個
グラニュー糖　60g
薄力粉　20g
生姜風味の金柑（きんかん）コンポート（P.79）　60g
⇒マーマレード約40gで代用可。
＊ジンジャーシロップの生姜
（P.13・大きければ刻む）　20～30g

下準備
- 卵は卵白と卵黄に分ける。
- 型にオーブンシートを敷く。
- オーブンを180℃に予熱する。

MEMO

「ジンジャーシロップの生姜」がないときは？

生姜の薄切りときび砂糖各70gを小鍋に入れ、ざっと混ぜて10分おく。水120mℓを加え、落としぶたをして弱めの中火で約15分煮る。ここから指定の分量を使用する。

作り方
1. チョコレートとバターはひと口大に切ってボウルに入れ、湯煎にかけて溶かす。湯煎からはずして卵黄を加え、泡立て器で混ぜる。
2. 別のボウルに卵白を入れ、ハンドミキサーで泡立てる。白っぽくなってきたらグラニュー糖を少しずつ加え、ツノがピンと立つまで泡立てる。
3. **2**の⅓量を**1**に入れて（**a**）泡立て器でしっかり混ぜ、残りを加えて大きくさっくり混ぜる（**b**）。完全に混ざりきる前に薄力粉をふるい入れ、ゴムべらで切るように混ぜて全体が均一になったら、型に流し入れる。
4. 金柑コンポートを上にのせてスプーンで押し込み（**c**）、上にジンジャーシロップの生姜をのせる（**d**）。
⇒マーマレードを使う場合は、スプーンでポトポト上に落とす。
5. 予熱したオーブンで30～40分焼く。型ごと網にのせて冷まし、粗熱をとる。

a

b

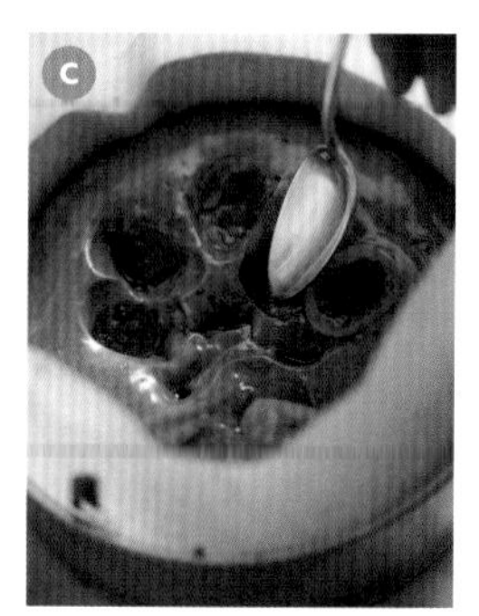
c

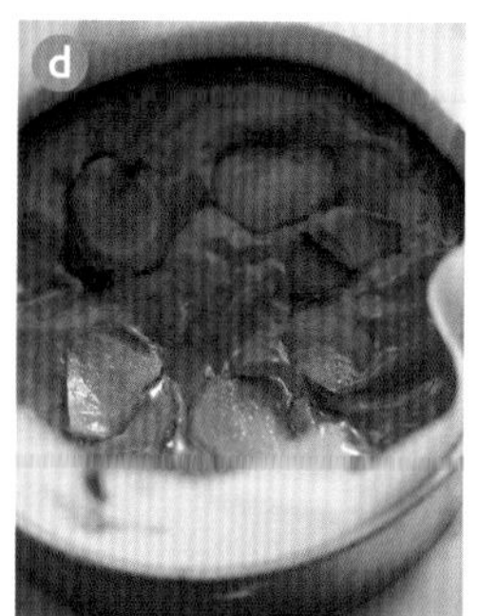
d

作るのも食べるのも大好きなガトーショコラ。
粉をぎりぎりまで減らした配合で、しっとり焼き上げます。
生姜と一緒に煮た金柑の甘酸っぱさがアクセントに。
このガトーショコラは柑橘と相性がいいので、
オレンジなどのマーマレードでも試してみて。

フロランタンは、ぜひ手作りしてほしいお菓子。
クッキー生地の上にキャンディードジンジャー入りの
キャラメルアーモンドを広げ、
焦げるぎりぎりまでよく焼いて、香ばしく仕上げます。

CARAMEL ALMOND FLORENTIN WITH CANDIED GINGER

キャラメルアーモンドが香ばしい
ジンジャーフロランタン

材料（4×4cm×16個分）

［クッキー生地］

バター　120g

粉砂糖　60g

溶き卵　½個分

生姜のすりおろし（あれば）　小さじ1

薄力粉　200g

⇒あれば70gを強力粉に代えるか、エクリチュール（P.18）など中力粉に近い薄力粉を使うのがおすすめ。

［キャラメルアーモンド］

A

バター　40g

グラニュー糖　40g

はちみつ　大さじ1

＊ジンジャーシロップ（P.13）　大さじ2

⇒はちみつ10gで代用可。

生クリーム　大さじ4

B

＊キャンディードジンジャー（P.13・粗く刻む）　40g

スライスアーモンド　80g

下準備

- クッキー生地のバターと卵は室温に戻す。
- 天板にオーブンシートを敷く。
- オーブンを180℃に予熱する。

作り方

1. クッキーを作る。ボウルにバターと粉砂糖を入れて泡立て器でよく混ぜる。溶き卵とあれば生姜のすりおろしを加え、しっかり混ぜる。薄力粉をふるい入れてゴムべらでさっくりと混ぜ、粉けがなくなったらラップで包んで冷凍庫で10分ほど休ませる。
2. **1**をラップで挟み、めん棒で22cm角にのばす。そのまま冷凍庫で30分、冷蔵庫なら1時間以上休ませる。
3. 取り出した**2**のラップをはずして天板にのせ、フォークでところどころに穴をあけ、予熱したオーブンで20分ほど焼く。
4. キャラメルアーモンドを作る。鍋に**A**を入れて中火にかけ、ゴムべらで混ぜる。バターが溶けてふつふつと泡が出てきたら、1分加熱して水分を飛ばす（**a**）。**B**を加え絶えず混ぜながら加熱し（**b**）、色づかないよう火加減に注意しながらさらに水分を飛ばす。
5. **3**を天板ごとオーブンから取り出し、熱いうちに**4**をのせる。周囲1cmを残してゴムべらで全体に広げる（**c**）。オーブンの温度を170℃に下げて20分ほど焼く。
6. オーブンシートごとまな板に取り出し、熱いうちに周囲を切り落とし、16等分（または好みのサイズ）に切り分けて冷ます。

a

b

c

エッグタルトは冷凍パイシートを使えば簡単に作ることができます。
ジンジャーシロップの生姜を散らして焼けば、少しオリエンタルな雰囲気に。
とろりとしたカスタードとザクザクとしたパイとの
対比を楽しむお菓子です。

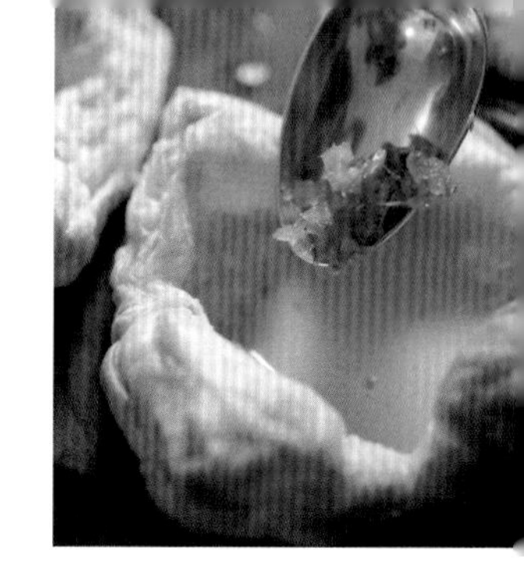

GINGER EGG TART

生姜入りのザクザクエッグタルト

材料（直径6cmのマフィン型4個分）

冷凍パイシート（20×20cm）　1枚
牛乳　50mℓ
練乳　40mℓ
卵黄　1個分
＊ジンジャーシロップの生姜（P.13・刻む）　25g
粉砂糖　大さじ1

下準備

- 冷凍パイシートは室温で軽く解凍する。
- 型に薄くバター（分量外）を塗り、ベタつくなら冷凍庫に入れる。
- オーブンを200℃に予熱する。

作り方

1 パイシートを4等分し（a）、型に敷き込む（b）。約12cm角に切ったオーブンシートを重ね、重石を入れる（c）。オーブンの温度を190℃に下げて15分ほど焼き、オーブンシートごと重石をはずす。
⇒重石はタルトストーンのほか、豆や米でもよい。
⇒焼き上がりがふくらんでいたらスプーンで軽く押す。

2 ボウルに牛乳、練乳、卵黄を合わせてよく混ぜる。

3 **1**に**2**を均等に流し入れ（d）、ジンジャーシロップの生姜を入れる。

4 オーブンの温度を200℃に上げて10分焼き、いったん取り出して粉砂糖をふる。再度オーブンで5分ほど、こんがりするまで焼く。

MEMO

「ジンジャーシロップの生姜」がないときは？

生姜の薄切りときび砂糖各70gを小鍋に入れ、ざっと混ぜて10分おく。水120mℓを加え、落としぶたをして弱めの中火で約15分煮る。ここから指定の分量を使用する。

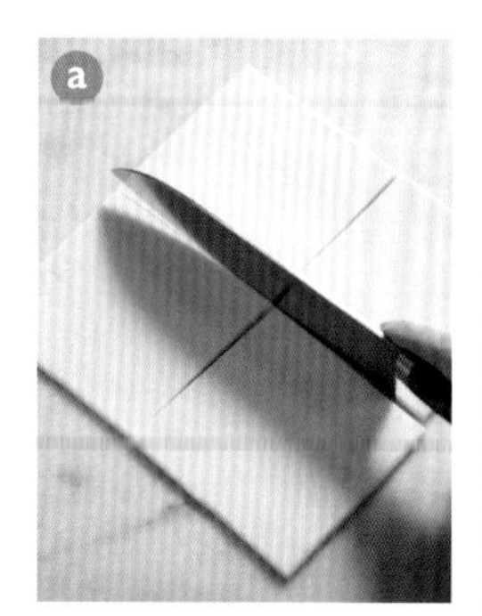
a

b

c

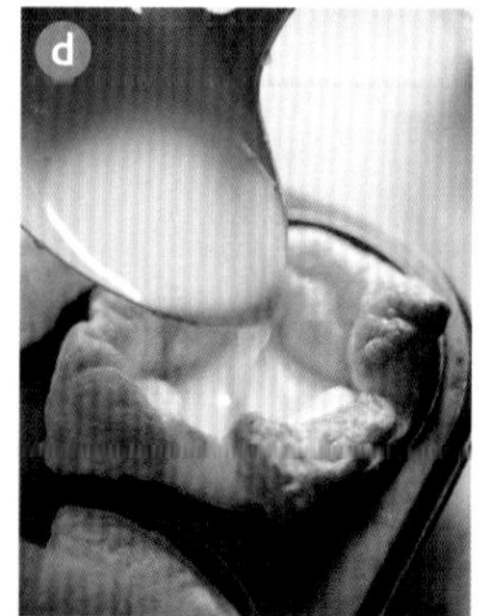
d

アメリカのお母さんの定番デザート、ブラウンベティ。
ホロホロ、サクサクしたクランブルと
りんごを組み合わせます。
今回はボトムとトップにクランブル、
間にりんごを挟んでアップルパイ風に。
底は果汁がしみてしっとり、上は軽やかに焼き上げました。

GINGER-FLAVORED APPLE BROWN BETTY

熱々りんごの ジンジャーブラウンベティ

材料（18×14×高さ4cmの耐熱容器1台分）

［クランブル］

A

- 薄力粉　150g
- ベーキングソーダ（重曹）　ひとつまみ
- 生姜のすりおろし　小さじ1
- ブラウンシュガー　30g

バター　60g

りんご（紅玉・皮つきのまま縦に4等分して芯を除く）　2個（正味260g）

B

- ＊ブラウンシュガー　20g
- ジンジャーシロップの生姜（P.13・刻む）　30g
- コーンスターチ　大さじ1
- レモン汁　½個分
- レモンの皮のすりおろし　少々
- シナモン（パウダー）　小さじ⅓
- クローブ（パウダー）　少々

バニラアイスクリーム（あれば）　適量

下準備

- **A**のバターは1cm角に切って冷蔵庫で冷やす。

作り方

1. クランブルを作る。ボウルに**A**を入れ、泡立て器でざっと混ぜる。バターを加え、カードで刻む。5mm角くらいの大きさになったら、指でつぶしながら粉となじませ、そぼろ状にする。バットに広げ、冷凍庫で15分ほど冷やす。
   ⇒保存袋に入れて冷凍庫で2週間ほど保存可能。
   ⇒ここでオーブンを200℃に予熱する。
2. りんごは縦に薄くスライスしてボウルに入れ、**B**を加えて（**a**）全体を混ぜる。
3. 耐熱容器に**1**の半量を入れ、予熱したオーブンで10分ほど焼く。**2**を並べ（**b**）、残りの**1**を重ね（**c**）、オーブンの温度を180℃に下げて25～30分焼く。皿に取り分け、あればアイスクリームを添えていただく。
   ⇒焼くときはオーブンの上段で、焼き色がつくまで様子を見ながら焼く。

MEMO

「ジンジャーシロップの生姜」がないときは？

生姜の薄切りときび砂糖各70gを小鍋に入れ、ざっと混ぜて10分おく。水120mℓを加え、落としぶたをして弱めの中火で約15分煮る。ここから指定の分量を使用する。

a

b

c

フランス・アルザス地方のお菓子。
スパイスとはちみつをたっぷり使いますが、
生姜も欠かせません。
おやつとしてだけでなく、アペロにも。
（レバーペーストやチーズと合わせると最高！）
数日おいてから食べるとさらにおいしいです。

ORANGE & HONEY PAIN D'ÉPICES

オレンジとはちみつをきかせた パン・デピス

材料（18cmのパウンド型1台分）

A
- はちみつ　120g
- 牛乳　180mℓ
- オレンジマーマレード　60g
- ＊ジンジャーシロップ（P.13）　大さじ1

B
- 強力粉　100g
- 薄力粉　50g
- ライ麦粉　70g
- シナモン（パウダー）　小さじ1
- アニス、ナツメグ（各パウダー）　各小さじ½
- ベーキングソーダ（重曹）、ベーキングパウダー　各小さじ½

＊ジンジャーシロップの生姜（P.13・刻む）　40～50g
オレンジピール（粗く刻む）　30g
好みのチーズ（あれば・ミモレットなど）　適量

下準備
- 型にオーブンシートを敷く。
- オーブンを180℃に予熱する。

作り方
1. 小鍋に**A**を入れ、全体が溶けるまでゴムべらで混ぜながら、中火であたためる。
2. ボウルに**B**を入れ、泡立て器でぐるぐると混ぜる。1を注ぎ入れ、粉けがなくなるまで混ぜる。
3. ジンジャーシロップの生姜とオレンジピールを加え、ゴムべらで切るように混ぜる。
4. 型に流し入れ、予熱したオーブンで40～50分焼く。中心に竹串をさして、生地がつかなければ焼き上がり。型ごと網にのせて冷まし、粗熱をとる。
5. 型からはずして器に盛り、食べやすく切ってあれば好みのチーズを添えていただく。

⇒ラップで包んで室温で約2週間保存可能。

MEMO

「ジンジャーシロップ」「ジンジャーシロップの生姜」がないときは？

生姜の薄切りときび砂糖各70gを小鍋に入れ、ざっと混ぜて10分おく。水120mℓを加え、落しぶたをして弱めの中火で約15分煮る。ここからそれぞれ指定の分量を使用する。

COLUMN.1

ジンジャーシロップで作るドリンク

ジンジャーシロップを使ったドリンクといえば、ジンジャーエール。
自分で作ればいろいろなバリエーションを楽しめます。
体がポカポカあたたまる、ホットドリンクのバリエーションもどうぞ。
（作り方 P.66）

COLD

基本のジンジャーエール

ジンジャーエールを作るなら、スパイスと一緒に仕込んだシロップがおすすめ。レモンをぎゅっと、たっぷり搾るのが私の好みです。

新生姜のジンジャーエール

色がきれいなシロップも炭酸で割ってジンジャーエールに。新生姜ならではの爽やかな風味も広がり、おもてなしに使いたくなります。

コーラ風コーヒージンジャーエール

あるコーヒーショップで出合った味が面白くて、私なりにアレンジしました。ほろ苦くてくせになる、まるでコーラみたいな味わい。

HOT

ホットジンジャー
レモネード

ジンジャーシロップがあれば本格的な味のレモネードも簡単。レモンだけでなく、柚子やすだちなど季節の旬の果汁を使ってもおいしい。

生姜がきいた
ジンジャーチャイ

寒い夜に作るチャイには生姜を入れて。ジンジャーシロップとシロップの生姜があれば、ますます風味豊か。甘くて幸せな味でポカポカに。

酒粕の
豆乳ジンジャー

酒粕と生姜の働きで、とにかくあたたまる一杯。とろりとなめらかな中におろし生姜がピリッときいて、真冬にうれしいドリンクです。

COLD

基本の ジンジャーエール

材料と作り方（1人分）

スパイシージンジャーシロップ（P.14のB）60mℓをグラスに入れ、炭酸水100～120mℓで割る。レモン1/4～1/2個を搾り、好みでレモンスライスを浮かべる。

新生姜の ジンジャーエール

材料と作り方（1人分）

ピンクジンジャーシロップ（P.14のC）60mℓをグラスに入れ、炭酸水100～150mℓで割る。

コーラ風コーヒー ジンジャーエール

材料と作り方（1人分）

スパイシージンジャーシロップ（P.14のB）大さじ3、アイスコーヒー70mℓ、炭酸水50mℓをグラスに入れ、そっと混ぜる。

HOT

ホットジンジャー レモネード

材料と作り方（1人分）

グラスにジンジャーシロップ（P.13）50～60mℓ、レモン汁1/8個分を入れ、熱湯110mℓを注ぐ。

生姜がきいた ジンジャーチャイ

材料と作り方（1人分）

小鍋に好みの紅茶のティーバッグと水60mℓを入れて中火にかけ、軽く沸騰させる。ジンジャーシロップ（P.13）大さじ2、好みで刻んだジンジャーシロップの生姜（P.13）を入れ、牛乳150mℓを加えてあたためる。

酒粕の 豆乳ジンジャー

材料と作り方（1人分）

小鍋か耐熱容器に酒粕20g、きび砂糖（またははちみつ）大さじ1、熱湯50mℓを入れて混ぜ、弱火にかけるか、電子レンジに30秒かけて泡立て器で混ぜ、なめらかにする。豆乳100mℓを加えて沸騰させないようにあたため、生姜のすりおろし小さじ1/2を加えて混ぜる。

PART.3

GINGER-FLAVORED COOL SWEETS & DESSERT

生姜の冷たいお菓子とデセール

生姜を使った冷たいお菓子とデザートは、どこかオリエンタル。
台湾やベトナム、ラオスといった旅先で出会ったおやつには、
ハーブとの相性を感じるものがたくさんありました。
生姜の使い方の幅広さを感じてみてください。

MARBLE-PATTERNED RARE CHEESE CAKE

生姜と黒糖コーヒーの
マーブルレアチーズ

シンプルなレアチーズの中に、生姜風味の茶色いパート(生地)を散らして。
2回に分けて茶色い生地を入れることで、カットしたときにも
柄が出て美しく仕上がります。ボトムは市販のビスケットでもOK。
茶色が濃いめのビスケットを使うとより完成度がアップします。

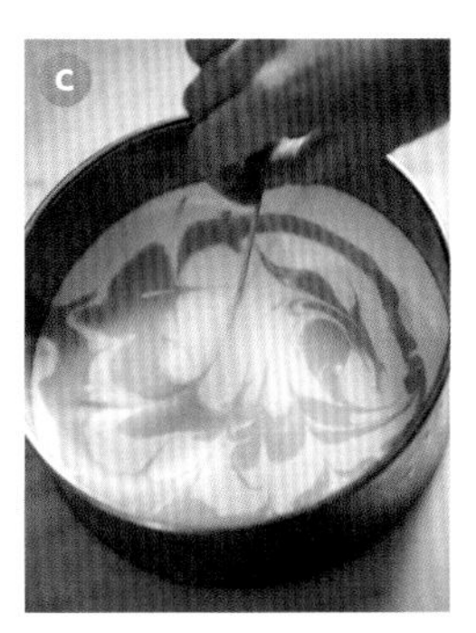

材料（直径15cmの丸型1台分／底が抜けるタイプ）

［ボトム］
ロータスビスケット（またはジンジャークッキー・いずれも市販）　70g分
⇒ジンジャーマンクッキー（P.28）またはベルギーの伝統ビスケットスペキュロス（P.31）90g分でも。
溶かしバター　30g

［白い生地］
クリームチーズ　200g
グラニュー糖　30g
生クリーム　200mℓ
ゼラチン（パウダー）　5g
水　大さじ1½

［茶色い生地］
インスタントコーヒー　小さじ1強
＊黒糖ジンジャーシロップ（P.14のA）　40mℓ
＊黒糖ジンジャーシロップの生姜（P.14のA・粗く刻む）　30g

下準備
- クリームチーズは室温に戻す。
- ゼラチンは分量の水にふり入れてふやかす。

MEMO

「黒糖ジンジャーシロップ」「黒糖ジンジャーシロップの生姜」がないときは？

生姜の薄切りと黒砂糖各70gを小鍋に入れ、ざっと混ぜて10分おく。水120mℓを加え、落としぶたをして弱めの中火で約15分煮る。ここからそれぞれ指定の分量を使用する。

作り方

1 ボトムを作る。ビニール袋にロータスビスケットを入れてめん棒で砕き、溶かしバターを加えて袋ごとよくもんで混ぜる。型の底に敷き詰め、冷蔵庫で1時間以上冷やし固める。
⇒ジンジャーマンクッキー（またはスペキュロス）の生地を90g分取り分け、オーブンシートに挟んで直径15cmの円形にのばし、180℃に予熱したオーブンで約15分焼いて粗熱をとったものをボトムにしてもよい。その場合は材料の溶かしバターと事前の冷蔵は不要。

2 白い生地を作る。ボウルにクリームチーズとグラニュー糖を入れ、泡立て器で混ぜる。

3 耐熱容器に生クリーム50mℓを入れ、ラップをかけずに電子レンジで30秒ほどあたため、ふやかしたゼラチンを加えて混ぜて溶かす。**2**に加えてしっかり混ぜる。

4 別のボウルに残りの生クリームを入れ、ツノがややおじぎをするくらいに泡立てる。**3**に加え、全体が均一になるまで泡立て器で混ぜる。

5 茶色い生地を作る。耐熱容器に材料をすべて入れ、ラップをかけて電子レンジで30秒ほど加熱する。ブレンダーで攪拌し、茶こしでこす（**a**）。**4**を50mℓ分加えて、泡立て器でしっかり混ぜる。

6 冷蔵庫から**1**を取り出して**4**の半量を入れ、**5**の半量を回し入れて（**b**）、箸または爪楊枝でマーブル状に混ぜる（**c**）。残りの生地も同様にし、冷蔵庫で2時間以上冷やし固める。

7 **6**をびんなどの上にのせて型の側面をゆっくり下ろしてはずし、底板とボトムの間にナイフを入れ、皿に移しながら底板をはずす。
⇒型から取り出しにくければ、湯にくぐらせたふきんで型の側面をあたためるとよい。

クリーミーな中にほんのり生姜が香る、やさしいジンジャースイーツ。
乳製品に生姜の香りをつけるときは、あたためて香りを吸収させます。
軽いムースには、柑橘（かんきつ）を合わせてさっぱりと。
チョコムースはひと晩寝かせる必要がありますが、
事前に作っておけるので、食後のデザートにぴったりです。

GINGER SCENTED WHITE CHOCOLATE MOUSSE

ミルキーに生姜が香る ホワイトチョコムース

材料（2人分）

［ホワイトチョコムース］
生姜のすりおろし　½～1片分
生クリーム　200㎖
ホワイトチョコレート（刻む）　100g

グレープフルーツ　½個
はちみつ　大さじ1
レモン汁　小さじ1
レモンの皮のすりおろし（あれば）　少々

作り方

1 ホワイトチョコムースを作る。小鍋に生姜のすりおろしと生クリームを入れて中火にかけ、沸騰直前まであたためる。
2 ボウルにホワイトチョコレートを入れ、**1**があたたかいうちに、半量を注いでゴムべらでしっかり混ぜる。残りを少しずつ加えてそのつどよく混ぜ、粗熱がとれたら、冷蔵庫にひと晩おく。
3 グレープフルーツは薄皮をむき、はちみつと一緒に小鍋に入れてひと煮立ちさせる。レモン汁を加えて混ぜ、粗熱がとれたら冷蔵庫でひと晩冷やす。
4 取り出した**2**の表面は、膜が張ったような状態になっている（**a**）。そのままハンドミキサーでふんわりと泡立てながら撹拌する。
5 器に**3**と**4**を盛り合わせ、あればレモンの皮を散らす。

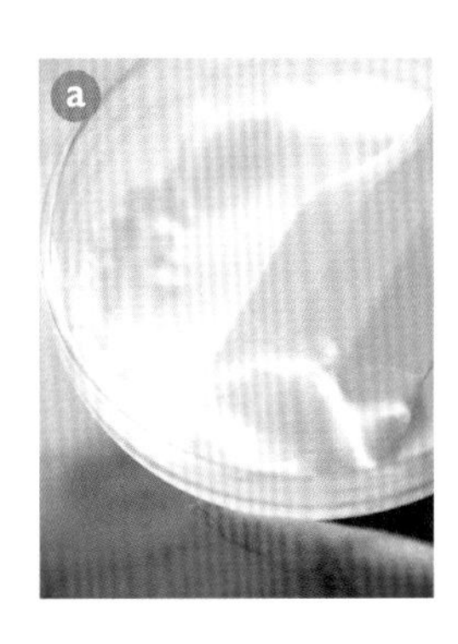

口の中でとろりと溶ける、なめらかな生チョコ。
ジンジャーシロップの生姜がアクセントになるので、
細かく刻むだけでなく、あえて大きめに切って食感を楽しんでもいいですね。
どちらにしてもラムの香りの奥に生姜がふわりと香る、
ひと味違う生チョコレートです。

GINGER PAVÉ AU CHOCOLAT

生姜とラムの香りのパヴェ・オ・ショコラ

材料（15×15cmのバット1台分）

チョコレート（細かく刻む）　100g

生クリーム　50mℓ

⇒チョコレートのカカオ分が70%以上の場合は70mℓに増やす。

はちみつ　小さじ2

＊ジンジャーシロップの生姜（P.13・刻む）　30g

ラム酒　小さじ1

ココアパウダー　適量

下準備

- バットにオーブンシートを敷く。

作り方

1 ボウルにチョコレートを入れる。
2 小鍋に生クリームとはちみつを入れて沸騰直前まであたため、1に注ぎ、泡立て器でゆっくりと混ぜて溶かす。
3 ジンジャーシロップの生姜とラム酒を加えてさっと混ぜ、バットに注ぐ。
4 冷蔵庫で2時間以上冷やし固め、3cm角に切り、手早くココアをまぶす。

MEMO

「ジンジャーシロップの生姜」がないときは？

生姜の薄切りときび砂糖各70gを小鍋に入れ、ざっと混ぜて10分おく。水120mℓを加え、落としぶたをして弱めの中火で約15分煮る。ここから指定の分量を使用する。

新生姜のジュレを味わうためのデザートです。
下の白いパンナコッタにはあえて生姜は使わず、甘さも控えめに。
美しいピンクと白のコントラストを楽しんだら、
混ぜながら口に運んで、ぜひ一緒に味わってください。
ジュレだけを作ってヨーグルトにかけてもおいしいですよ。

PANNA COTTA WITH YOUNG GINGER GELÉE

新生姜のジュレを重ねた パンナコッタ

材料（グラス4個分）
[パンナコッタ]
牛乳　200mℓ
生クリーム　200mℓ
グラニュー糖　30g
ゼラチン（パウダー）　7g
水　大さじ2

[新生姜のジュレ]
＊ピンクジンジャーシロップ（P.14のC）　300mℓ
ゼラチン（パウダー）　3g
水　大さじ1

下準備
- ゼラチンはそれぞれ分量の水にふり入れてふやかす。

作り方
1. パンナコッタを作る。鍋に牛乳、生クリーム、グラニュー糖を入れて中火にかけ、ひと煮立ちさせる。火を止め、ふやかしたゼラチンを加えて、ゴムべらで混ぜて溶かす。
2. ボウルに移し、底を氷水にあてながら冷ます。ゴムべらでときどき混ぜ、とろりとしてきたらグラスに均等に流し入れ、冷蔵庫で2時間以上冷やす。
3. 新生姜のジュレを作る。小鍋（または電子レンジ）でピンクジンジャーシロップをあたため、ふやかしたゼラチンを加えて、ゴムべらで混ぜて溶かす。粗熱がとれたらバットに入れ、冷蔵庫で2時間以上冷やす。
4. **3**がやわらかく固まったら、冷蔵庫から取り出した**2**の上に、スプーンで均等にのせる。

FRUIT MARINADE

フレッシュフルーツのジンジャーマリネ

ジンジャーシロップとフルーツの組み合わせが好き。
生姜をからめるだけでフルーツの表情が
ガラリと変わり，おいしさも損なわないからです。
どのフルーツマリネも凍らせて楽しむこともできます。

（作り方 P.78）

FRUIT COMPOTE

生姜風味のフルーツコンポート

フルーツの出回り時期にはコンポートに。
砂糖だけで作ることもありますが、
生姜のスライスと煮るだけで、アクセントに。
生姜の辛みはまろやかになり、
シロップが大人っぽい味になります。
ソーダなどで割ればおいしいドリンクに。
（作り方 P.79）

フレッシュフルーツのジンジャーマリネ

パイナップル

材料と作り方（作りやすい分量）
カットパイナップル300gにジンジャーシロップ（P.13）大さじ2をからめる。冷蔵庫に30分以上おいてなじませる。

メロン

材料と作り方（作りやすい分量）
カットメロン200gにジンジャーシロップ（P.13）大さじ1½をからめ、細切りにしたジンジャーシロップの生姜（P.13）を散らす。冷蔵庫に30分以上おいてなじませる。食べる直前に、レモン（またはライム）をたっぷりと搾る。

みかん

材料と作り方（作りやすい分量）
みかん2個は皮をむいて筋を取り、横半分に切る。ジンジャーシロップ（P.13）大さじ1をからめ、あればジンジャーシロップの生姜（P.13）を細切りにして散らす。冷蔵庫に30分以上おいてなじませる。

グレープフルーツ

材料と作り方（作りやすい分量）
グレープフルーツ（赤・白）各½個（正味各100g）は薄皮をむく。ジンジャーシロップ（P.13）大さじ2をからめ、冷蔵庫に30分以上おいてなじませる。

生姜風味のフルーツコンポート

洋梨

材料と作り方（作りやすい分量）
洋梨２個は皮をむき、縦半分に切って種を除く。鍋に水200㎖、白ワイン70㎖、グラニュー糖70g、生姜の薄切り½片分、レモン汁½個分を入れて沸騰させる。洋梨を加え、落としぶたをして５分ほど弱火で煮て、そのまま30分ほど冷ます。
⇒煮沸した保存容器にシロップごと入れ、冷蔵で約１週間保存可能。

金柑（きんかん）

材料と作り方（作りやすい分量）
金柑300gはへたを除き、横半分に切って竹串などで種を除く。鍋に入れて生姜の薄切り½片分と水150㎖を加えて中火にかけ、５分ほど煮る。グラニュー糖150gを加えてさらに15分ほど煮る。
⇒煮沸した保存容器にシロップごと入れ、冷蔵で約１カ月保存可能。

桃

材料と作り方（作りやすい分量）
桃（小）２個は湯むきし、割れ目に沿って縦に切り込みを入れ、ひねって半割りにしてスプーンで種を除く。鍋に水200㎖、白ワイン70㎖、グラニュー糖70g、生姜の薄切り½片分、レモン汁½個分を入れて沸騰させる。桃と桃の皮を加え、落としぶたをして５分ほど弱火で煮る。そのまま30分ほどおいて冷まし、皮を除く。
⇒煮沸した保存容器にシロップごと入れ、冷蔵で約１週間保存可能。

いちじく

材料と作り方（作りやすい分量）
いちじく４個は縦半分に切る。鍋に水200㎖、白ワイン70㎖、グラニュー糖50g、生姜の薄切り½片分、レモン汁½個分を入れて沸騰させる。いちじくを加え、１～２分弱火で煮て、30分ほどおいて冷ます。
⇒煮沸した保存容器にシロップごと入れ、冷蔵で約１週間保存可能。

まるでスイートポテトのようなさつまいもの甘みを楽しめる
なめらかなプリン。ビターなキャラメルソースが
とてもよく合います。「す」が入りづらいので、
カスタードプリンより手軽にトライできるのもポイント。
プリンを焼く耐熱の型は、火のとおりがやわらかいガラスや陶器がおすすめ。

SWEET POTATO GINGER PUDDING

さつまいもの
なめらかジンジャープリン

材料（直径16×高さ6cmの耐熱の型1台分）

焼きいも（市販・皮をむいてひと口大に切る）
200g
⇒焼きいもから作る場合は、さつまいもを洗って水けをきらずにペーパータオルで包み、さらにアルミホイルで包んで170〜180℃のオーブンで1時間ほど焼く。

きび砂糖（またはグラニュー糖）　50g
生姜のすりおろし　1片分
牛乳　150mℓ
生クリーム　150mℓ
水　大さじ2
溶き卵　2個分
ラム酒　大さじ1

［キャラメル］
グラニュー糖　60g
水　大さじ1

下準備

- 型が入る大きさのバットにペーパータオルを敷く。
- オーブンを160℃に予熱する。

作り方

1. キャラメルを作る。鍋に材料を入れて中火にかける。いじらずに加熱し、ふちから茶色くなってきたらゴムべらで混ぜ、濃い茶色のキャラメルになったら型に流し入れる。
2. 小鍋に焼きいもときび砂糖、生姜のすりおろし、牛乳、生クリーム、分量の水を入れ、ふたをして弱火で5分ほど煮て、ブレンダーでペースト状にする。
3. **2**をボウルに入れて溶き卵とラム酒を加え、泡立て器でよく混ぜる。目の粗いざるで**1**の型にこし入れる。
4. バットに**3**をのせ、2cm高さに湯を張って、予熱したオーブンで40〜50分湯煎焼きにする。少し揺らして表面が揺れなければ出来上がり。バットごとそのまま冷ます。冷めたらバットから取り出して、冷蔵庫で2時間以上冷やす。
⇒できればひと晩以上冷やすと、さらにおいしくなる。
5. 型の周囲にナイフを入れ、皿をあててひっくり返し**4**を取り出す。

メニュー名の「ポ」はフランス語で小さな器のこと。
クレームブリュレに似た、卵黄多めの濃厚な生地を、
その名のとおり小さな容器に入れて作ります。
市販のマロンクリームはとても甘いので、
無糖の生クリームを添えるとちょうどよく仕上がり、
生姜がすっきりしたアクセントになってくれます。

CHESTNUT POT DE CRÉME

栗のポ・ド・クレーム ジンジャー風味

材料（直径5.5×高さ7cmの耐熱容器6個分）
マロンクリーム（市販）　200g
溶き卵　2個分
卵黄　1個分
牛乳　200mℓ
生クリーム　150mℓ
生姜のすりおろし　1片分
ラム酒　大さじ1

[仕上げ]
生クリーム　50mℓ
ラム酒　小さじ1
栗の渋皮煮（縦に2〜3等分する）　2〜3粒
＊ジンジャーシロップの生姜（あれば・P.13・細切り）　適量

下準備
- 耐熱容器が並べられる大きさのバットにペーパータオルを敷く。
- オーブンを150℃に予熱する。

作り方
1. ボウルにマロンクリームを入れ、溶き卵と卵黄を合わせて少しずつ加え、そのつどゴムべらでよく混ぜる。
2. 小鍋に牛乳、生クリーム、生姜のすりおろしを入れ、ひと煮立ちさせる。
3. **2**が熱いうちに**1**に加えてゴムべらで混ぜ、ラム酒を加えてさらに混ぜる。ざるでこし、耐熱容器に均等に流し入れる。
4. バットに**3**を並べ、2〜3cm高さに湯を張って天板に置き、予熱したオーブンで30〜40分湯煎焼きにする。取り出して粗熱がとれたら、冷蔵庫で2時間以上冷やす。
5. 仕上げをする。ボウルに生クリームとラム酒を入れ、泡立て器で好みの加減に泡立てる。冷蔵庫から出した**4**にのせ、栗の渋皮煮とあればジンジャーシロップの生姜をのせる。

少し前に旅したラオス。
リゾートホテルで食べたジェラートを
再現しました。暖房のきいた部屋の中で
食べるのも最高です。

レストランのフルコースで出る
お口直しみたいな爽やかな冷菓。
東南アジアの暑い国で飲む、
生姜とハーブのお茶をイメージした味です。

GINGER MILK GELATO

ラオス風
ジンジャーミルク
ジェラート

材料（4人分）

＊ジンジャーシロップの生姜（P.13）　50g
牛乳　100mℓ
はちみつ　大さじ1
生クリーム　200mℓ

作り方

1 容器にジンジャーシロップの生姜、牛乳、はちみつを入れ、ブレンダーで攪拌する。全体が混ざったら、生クリームを少しずつ加えてそのつど攪拌する。
2 バットに流し入れ、冷凍庫で2時間以上冷やし固める。ブレンダーで攪拌してなめらかにし、器に盛る。
⇒フォークでほぐしてなめらかにしてもよい。

MEMO

「ジンジャーシロップの生姜」がないときは？

生姜の薄切りときび砂糖各70gを小鍋に入れ、ざっと混ぜて10分おく。水120mℓを加え、落としぶたをして弱めの中火で約15分煮る。ここから指定の分量を使用する。

GINGER & LEMONGRASS GRANITÉ

生姜と
レモングラスの
グラニテ

材料（4人分）

レモングラス　½パック（10～15g）
生姜（薄切り）　1片分
水　400mℓ
グラニュー糖　30g
はちみつ　大さじ1

作り方

1 レモングラスは2cm幅に切る。
2 鍋に材料をすべて入れ、ひと煮立ちさせてそのまま冷ます。
3 バットにこし入れ、冷凍庫で2時間以上冷やし固める。フォークでほぐして器に盛る。

ハーブの香りを閉じ込めた寒天デザート。
こちらは無糖で作り、ジンジャーシロップを
たっぷりかけて生姜感を楽しみます。
シロップを透明にして清涼感を出したいなら、
グラニュー糖でジンジャーシロップを作るのがおすすめ。

GINGER AGAR WITH HERBS

ハーブを閉じ込めた ジンジャー寒天

材料（19×15cmのバット1台分）

寒天（パウダー）　4g
水　500mℓ
レモングラス（ざく切り）　3～4本分
ミント、レモンバームの葉　合わせて10枚
＊ジンジャーシロップ　100mℓ（P.13・できれば きび砂糖に代えてグラニュー糖で作ったもの）
ミントの葉、すだち（半分に切る）　各適量

作り方

1 鍋に寒天と分量の水、レモングラスを入れて中火にかける。沸騰した状態をキープしたまま2分ほど煮て、寒天を煮溶かす。
2 バットにざるでこし入れ、あたたかいうちにミント、レモンバームの葉を入れる。室温で冷まし、固まるまでおく。
3 **2**を食べやすく切り、器に盛ってジンジャーシロップをかける。ミントの葉を散らし、すだちを搾っていただく。

MEMO

「ジンジャーシロップ」がないときは？

生姜の薄切りとグラニュー糖各100gを小鍋に入れ、ざっと混ぜて10分おく。水150mℓを加え、落としぶたをして弱めの中火で約15分煮る。ここから指定の分量を使用する。

台湾の友人が教えてくれた生姜のキューブ。
サクサクして、口の中に生姜のピリ辛な味と
なつめ、黒砂糖の自然な甘みが広がります。
疲れたときなどにパクリと食べれば、
特に女性の体によいそうです。
お湯に溶いてお茶として飲んでも。

GINGER CUBE CANDY

黒糖生姜のサクサクキューブ

材料（作りやすい分量）

＊ジンジャーシロップ（P.13）　大さじ1
＊ジンジャーシロップの生姜（P.13）　80g
黒砂糖（ブロック）　80g
きび砂糖　80g
なつめ（ドライ・種を除いて5mm角に切る）
　5～6粒（約30g）
⇒またはデーツでも。

MEMO

**「ジンジャーシロップ」
「ジンジャーシロップの生姜」がないときは？**

生姜の薄切りときび砂糖各100gを小鍋に入れ、ざっと混ぜて10分おく。水150mℓを加え、落としぶたをして弱めの中火で約15分煮る。ここからそれぞれ指定の分量を使用する。

作り方

1 小鍋になつめ以外の材料をすべて入れて中火にかけ、砂糖類が溶けるまで煮る。なつめを加えて弱火にし、ゴムべらで混ぜながら、焦げないように注意してさらに煮詰める。
2 泡が出て白濁してきたら（**a**）、氷水に少量落とし、飴状に固まるようならOK（**b**）。固まらなければさらに煮詰める。
3 まな板の上にオーブンシートを広げ、**2**を流す。オーブンシートで挟み、めん棒で軽くのばして15cm角にする（**c**）。そのまま室温で冷まし、表面が固まったらオーブンシートをはがして3cm角に切る（**d**）。

a

b

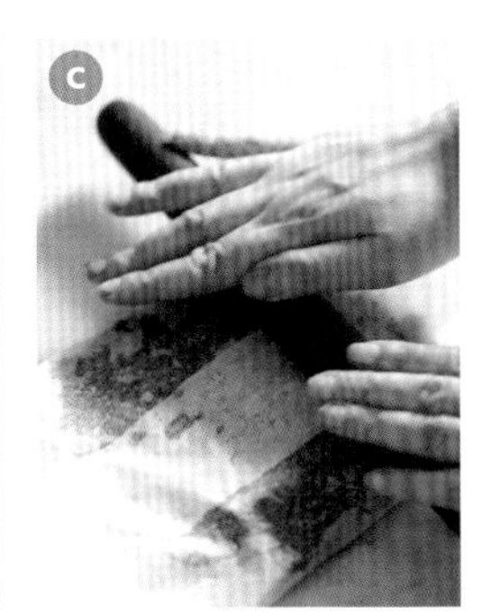
c

d

ココナッツミルクを使ったまろやかなブランマンジェに、
生姜をきかせたパイナップルのソルベを重ねます。
パイナップルの繊維がほどけてとろりと仕上がり、
生姜の効果で甘みがキュッと濃縮。
こってりした中華料理の日にはこんなデザートが素敵です。

COCONUT BLANC-MANGER WITH PINEAPPLE SORBET

パイナップルソルベをのせた ココナッツブランマンジェ

材料（4人分）

[パイナップルソルベ]
カットパイナップル　150g
＊ジンジャーシロップ（P.13）　大さじ1
⇒またはパイナップルのジンジャーマリネ（P.78）から、分量のパイナップルとシロップを使うとよりおいしい。

[ブランマンジェ]
牛乳　100mℓ
ココナッツミルク　50mℓ
水　50mℓ
グラニュー糖　20g
ゼラチン（パウダー）　5g

下準備

- ゼラチンは水大さじ1½にふり入れてふやかす。

作り方

1 パイナップルソルベを作る。ボウルにカットパイナップルを入れ、ジンジャーシロップを加えてからめ、30分ほどおいてなじませる。保存袋に汁ごと入れて、冷凍庫で2時間以上冷やし固める。
2 ブランマンジェを作る。小鍋に牛乳、ココナッツミルク、分量の水、グラニュー糖を入れて中火にかけ、ひと煮立ちしたら火を止める。熱いうちにふやかしたゼラチンを加え、ゴムべらで混ぜて溶かす。
3 鍋底を氷水に当てて冷やしながら混ぜ、とろりとしてきたら器に均等に流し入れる。冷蔵庫で2時間ほど冷やし固める。
4 冷凍庫から出した**1**をミキサーに入れ、なめらかに攪拌する。**3**の上にたっぷりとのせる。
⇒攪拌している間にソルベがやわらかくなったら、冷凍庫に戻して少し冷やしてから盛りつけるとよい。

MEMO

「ジンジャーシロップ」がないときは？

生姜の薄切りときび砂糖各70gを小鍋に入れ、ざっと混ぜて10分おく。水120mℓを加え、落としぶたをして弱めの中火で約15分煮る。ここから指定の分量を使用する。

生姜風味のフローズンヨーグルトと桃のコンポートを使ったスープ。
口の中で溶けると生姜のすがすがしい風味がすーっと広がります。
どちらかだけでも冷たくておいしいデザートに。

PEACH YOGURT SOUP

桃の冷たいヨーグルトスープ

材料（2人分）

生姜風味の桃コンポート（P.79）　1個分
生姜風味の桃コンポートの煮汁　50mℓ

［フローズンヨーグルト］
ヨーグルト（プレーン）　100g
＊ジンジャーシロップ（P.13）　50mℓ
水　50mℓ

穂紫蘇（ほじそ）の花（あれば）　適量

作り方

1 フローズンヨーグルトを作る。ボウルに材料をすべて入れてよく混ぜ合わせ、バットに流し入れ、冷凍庫で2時間以上凍らせる。取り出してフォークでほぐす（またはブレンダーで攪拌する）。
2 桃のコンポートはざく切りにする。コンポートの煮汁と一緒にミキサーにかける。
3 器に盛り、フローズンヨーグルトをたっぷりのせ、あれば穂紫蘇の花を散らす。

MEMO

「ジンジャーシロップ」がないときは？

生姜の薄切りときび砂糖各70gを小鍋に入れ、ざっと混ぜて10分おく。水120mℓを加え、落としぶたをして弱めの中火で約15分煮る。ここから指定の分量を使用する。

RED BEAN SOUP WITH PUMPKIN DUMPLING

かぼちゃ白玉の
あたたかいあずきスープ

材料（2人分）

［かぼちゃ白玉］

かぼちゃペースト　50g

⇒市販の冷凍かぼちゃのペースト。または皮とワタを除いたかぼちゃを電子レンジでやわらかくし、つぶしたもの。

白玉粉　50g

水　大さじ1

［スープ］

＊ジンジャーシロップ（P.13）　100mℓ

＊ジンジャーシロップの生姜（P.13）　4～5枚

水　300mℓ

ゆであずき　大さじ2

作り方

1 かぼちゃ白玉を作る。ボウルに材料をすべて入れ、手で練り混ぜてひと口大に丸める。

2 鍋に湯を沸かし、**1**を入れて浮いてくるまでゆで、氷水にとる。

3 スープを作る。小鍋に材料をすべて入れてあたため、**2**を加えてさらにあたためる。

4 器にゆであずきを入れ、**3**を注ぐ。

MEMO

「ジンジャーシロップ」
「ジンジャーシロップの生姜」がないときは？

生姜の薄切りときび砂糖各100gを小鍋に入れ、ざっと混ぜて10分おく。水150mℓを加え、落としぶたをして弱めの中火で約15分煮る。ここからそれぞれ指定の分量を使用する。

かぼちゃとあずきの組み合わせは、
冬至のお決まり。生姜たっぷりであたたまる味を、
寒い季節にはおしるこのように楽しみます。

COLUMN.2

ジンジャーシロップを使った料理

生姜は甘いものだけでなく料理にも使う素材。
せっかくジンジャーシロップを作ったのだから、料理の味つけにも使いましょう。
味が完成しているので、失敗知らずで本格的なひと皿が完成！

GINGER DRESSING

PORK GINGER

ジンジャードレッシングの中華風サラダ

シロップの甘みにしょうゆや
豆板醤（トウバンジャン）を合わせて中華風のドレッシングに。
ピーナツや煎りごまで、
香ばしさをプラスするのがポイント。

材料（作りやすい分量）

［ジンジャードレッシング］
＊ジンジャーシロップ（P.13）　小さじ2
＊ジンジャーシロップの生姜（P.13・刻む）　小さじ1
無臭の油（太白ごま油など）　大さじ6
しょうゆ　大さじ1
酢　大さじ3
レモン汁　小さじ1
豆板醤　小さじ½
にんにくのすりおろし　小さじ½

にんじん　1本
パクチー　10本（約20g）
ピーナツ　大さじ1
クミン（シード）、白ごま　合あわせて小さじ½
⇒どちらかでもOK。

作り方

1 ジンジャードレッシングを作る。ボウルに材料をすべて合わせ、ブレンダーでよく混ぜる。
2 にんじんはせん切りにする。パクチーは葉を摘み、茎は刻む。ピーナツは粗く刻む。クミンと白ごまは軽く煎る。
3 ボウルに**2**を入れ、好みの量の**1**をかけてからめ、器に盛る。

シロップで簡単ポークジンジャー

いわゆる「豚の生姜焼き」。
生姜と砂糖やみりんをシロップに代えるので、
簡単に作れます。シロップ、しょうゆ、酒が
同じ割り合いなのも作りやすいポイント。

材料（2人分）

豚ロース肉　2枚（約300g）
酒（または好みのワイン）　大さじ1½
＊ジンジャーシロップ（P.13）　大さじ1½
＊ジンジャーシロップの生姜（P.13・粗く刻む）　20g
しょうゆ　大さじ1½

作り方

2 豚肉は筋に切り目を入れる。
フライパンで**1**の両面をこんがり焼き、酒を
3 入れ、ふたをして弱火～中火で5分ほど焼く。
ジンジャーシロップ、ジンジャーシロップの
4 生姜、しょうゆを入れ、からめながら煮詰める。
皿に盛り、フライパンに残ったたれをかける。

若山曜子　Yoko Wakayama

菓子・料理研究家。東京外国語大学フランス語学科卒業後、パリへ留学。ル・コルドン・ブルー、エコール・フェランディを経て、国家資格（C.A.P）を取得。パリのパティスリーなどで経験を積み、帰国後は企業のメニュー監修、雑誌や書籍、テレビなどで活躍。著書に『アペロ フランスのふだん着のおつまみ』『台湾スイーツレシピブック』（ともに小社刊）、『お弁当サンド』（KADOKAWA）など。
https://tavechao.com/
Instagram @yoochanpetite

ジンジャースイーツ

生姜、ジンジャーシロップ、
キャンディードジンジャーで作るやさしいお菓子

2020年11月13日　第1版第1刷発行
2022年 4月 6日　第1版第2刷発行

著　　者　若山曜子

発 行 人　山口康夫
発　　行　株式会社エムディエヌコーポレーション
　　　　　〒101-0051 東京都千代田区神田神保町一丁目105番地
　　　　　https://books.MdN.co.jp/
発　　売　株式会社インプレス
　　　　　〒101-0051 東京都千代田区神田神保町一丁目105番地
印刷・製本　図書印刷株式会社

撮影　馬場わかな
デザイン　福間優子
スタイリング　池水陽子
構成・文　北條芽以
校正　かんがり舎
DTP　小林　亮
PD　栗原哲朗（図書印刷）
アシスタント　鈴木真代、細井美波、尾崎史江
　　　　　　　寺脇茉林、西依亜莉沙

編集長　山口康夫（MdN）
企画編集　若名佳世（MdN）

Printed in Japan

【カスタマーセンター】
造本には万全を期しておりますが、万一、落丁・乱丁などがございましたら、
送料小社負担にてお取り替えいたします。
お手数ですが、カスタマーセンターまでご返送ください。

【落丁・乱丁本などのご返送先】
〒101-0051 東京都千代田区神田神保町一丁目105番地
株式会社エムディエヌコーポレーション
カスタマーセンター
TEL：03-4334-2915

【内容に関するお問い合わせ先】
info@MdN.co.jp

【書店・販売店のご注文受付】
株式会社インプレス　受注センター
TEL：048-449-8040／FAX：048-449-8041

ISBN 978-4-295-20323-0
C2077